崔玉涛
图解家庭育儿
小·儿·营·养·与·辅·食·添·加

崔玉涛 / 著

获得更多资讯，请关注：
崔玉涛家庭育儿微信公众账号

人民东方出版传媒
东方出版社

崔大夫出版寄语

从 2001 年起在育儿杂志开办"崔大夫诊室"专栏至今，在逐渐得到了社会各界认可的同时，也促使我由一名单纯的儿科临床医生，逐渐成熟为具有临床医生与社会工作者双重身份和责任的儿童工作者。作为儿童工作者就应有义务向全社会介绍自己的知识、工作经验和体会。

我曾于 2006 年开办过个人网站，在这个网站很快火爆起来的同时，带来的工作量也很快就超出了我自身的负荷——太多家长朋友关于育儿的问题涌进网站。万般无奈之下，几个月后我不得不悄然地停止了家长朋友非常关注和信赖的个人网站。说实话，当时心中的疼痛和愧疚很难用语言表达。

随着新媒体的发展，新的交流平台给我提供了向社会奉献的新渠道。2009年 10 月 23 日，我又在新浪网开始了博客之旅。博客之旅的顺利进行，又带来了社会工作的日渐繁忙，甚至连以前静下心来写博客的时间都逐渐被占据。还好，这时又一种新的媒体方式——微博，及时地走进了我的生活。

2010 年 4 月 1 日，在北京和睦家医院网络传播经理孙迪女士的推荐和帮助下，我的个人专业微博（weibo.com/cuiyutao）正式启动。通过初期半年多时间内向多方人士学习、请教，在对微博这种传媒形式有了基本了解的前提下，现在我已连续发布原创微博 700 多天，并将微博分成了十个主题，以便家长朋友们查询。微博的快捷传播特点，能迅速解除父母在养育孩子过程中的疑虑。虽然秉承微博不是微诊室的原则，在每天抽空阅读众多网友问题的前提下，我坚持利用每天早间的 30 ~ 60 分钟，进行微博方式的科普宣教，解释网友们提出的共性育儿相关问题、季节相关性疾病的护理问题，并介绍一些自己认为较好的国外育儿理念。

当迅速得到众多网友的青睐后，我深切感受到大家对育儿知识的渴求。在东方出版社的鼎力支持和帮助下，将微博这种传播快速但内容局限的形式，在加入部分相关内容的同时，以漫画和图解的形式，呈现给大家。希望这种活跃、简明、清晰的形式不仅是自己微博的纸质出版物，而且能将零散的微博融合成更加直观、全面的育儿手册。

本册着重介绍小儿营养中关于辅助食品添加的内容。从辅食添加的意义、目的、原则、辅食添加过程中的注意事项及常见问题的认识和处理等方面，尽可能全面地介绍辅食添加相关的内容。希望大家能了解到辅食添加的目的不仅在于保证婴幼儿生长，而且更在于促进婴幼儿发育。

今后，在坚持现有微博的基础上，我将不断地再加工出版微博漫画育儿系列图书，帮助众多朋友更加科学、轻松地养育宝宝，并将自己的努力化作良好的祝福。祝愿天下宝宝健康成长！祝愿天下父母快乐幸福！

北京和睦家医院

目录
contents

小儿辅食添加基本原则

2 家长容易进入的辅食添加误区

3 小儿辅食添加过程中经常出现的问题

4 崔大夫门诊问答

小儿辅食添加的原则：少量、简单

给孩子添加辅食要一种一种地添加，由简单到复杂：由少到多、由细到粗、由稀到稠、由单一到混合。

1 小儿辅食添加基本原则

婴儿的主食
母乳、配方粉

婴儿的辅食
母乳和配方粉之外的任何液体和固体食物

1岁半之前保持一定奶量可奠定婴幼儿生长的食物基础

母乳与成人食品的营养素比较

	母乳	常规成人食物
蛋白质	6%	23%
脂肪	55%	28%
碳水化合物	39%	55%

母乳与成人食品的区别在于，前者脂肪含量高，后者碳水化合物和蛋白质含量高。1克脂肪在体内氧化产生的能量，远远大于碳水化合物和蛋白质产生的能量。

研究发现，对于健康足月儿和营养状况好的母亲来说，6个月内纯母乳喂养可以满足婴儿对蛋白质、脂肪、碳水化合物、多种维生素以及人体矿物质的需求。

当母乳喂养或配方粉喂养不能满足婴儿营养和生长发育的需求时，便需要给孩子添加辅食。其目的在于补充母乳喂养所造成的营养摄入不足。

婴儿的主食与辅食

婴儿的主食指的是奶，包括母乳和配方粉。辅食指的是除了母乳、婴儿配方粉和较大婴儿配方粉以外的食物，包括任何液体和固体食物。与辅食相比，婴幼儿的"主食"——奶，其脂肪含量高，蛋白质和碳水化合物含量相对于成人食物较低。比较而言，母乳属于高密度、高热量食物，因为1克脂肪在体内氧化能产生9千卡能量，而1克碳水化合物或蛋白质氧化只分别产生4千卡能量。

对于辅食的称呼有几种，比如固体食物、泥糊状食物等。我之所以仍然偏好于使用"辅食"这个称呼，是为了提醒家长，孩子1岁半之内奶制品应为"主食"。在1岁半之前只有以奶为主食，才能保证相对高密度能量的提供，如果米粥、烂面条等低密度食物所占比例增加，则会影响婴幼儿奶的摄入量，那么食物提供的能量将大大减少，不利于婴儿的正常生长。婴儿6个月至1岁期间，应保持每天喝奶量在600ml至800ml，1岁至1岁半不少于400ml至600ml。即使孩子非常喜欢接受辅食，也不能让辅食喧宾夺主，保证主食的摄入量，才是保证营养的基础。然后根据孩子每日进食的奶量及生长情况来决定提供给孩子怎样的辅食搭配。为了达到更好的喂养效果，家长需要调整辅食的结构及喂养量，来更好地搭配主食"奶"，以使孩子更好地生长发育。

实际生活中，很多家长反其道而行之。面对一个每次吃完辅食后还想吃的孩子，家长很容易把喂养的重点放在"辅食喂养"上，在此提醒家长们一定要避免这一点。另外，"辅食"这个概念应该在婴儿1岁半之后废除。

辅食添加的最佳时间为母乳喂养满4～6个月间。

过敏风险低

肠道发育高峰期

原因：

这个阶段属于过敏低风险时期，添加辅食后孩子出现过敏的机会会相对较少；

这个阶段是孩子肠道发育的高峰期，孩子更易于接受简单的辅食；

这个阶段口腔细小肌肉开始发育，对今后的咀嚼能力发育和语言能力的发展有利。

早产儿辅食添加时间应该为矫正年龄满4~6个月。

矫正年龄（月）=实际出生年龄（月）-（40周-出生时孕周）/4。

例如：孕32周出生的早产儿生后6个月

矫正年龄=实际出生年龄（6个月）-（40周-出生时孕周32）/4=4个月

孩子多大开始添加辅食比较好？

研究发现，母乳喂养满 4 ~ 6 个月间为小儿辅食添加的最佳时间，早产儿辅食添加时间应该为矫正年龄满 4 ~ 6 个月。但对于什么时候开始添加辅食，家长不仅应该关心孩子的月龄，还要观察孩子是否已经对大人吃饭产生关注。比如，大人吃饭时，孩子是否开始出现眼神固定，并出现吞咽、流口水等动作，或者孩子近期体重增长偏缓也是一个应该添加辅食的标志。

也就是说家长应该关心孩子的身体状况以及接受能力，要先对孩子进行一番评估，再根据评估结果决定是否可以开始添加辅食。这些评估包括以下内容：

1. 孩子肠胃和肾脏状况，包括母乳或配方粉消化吸收情况、是否有便秘或腹泻，是否有过敏，是否有明显的胃食道反流，以及排尿情况等。

2. 孩子神经系统的成熟度，包括吞咽能力、对大人进食是否有明显反应等。

3. 孩子的营养状况，包括母乳和配方粉喂养能否保持良好营养，如果母乳和配方粉喂养能够保持良好营养，就可稍延迟辅食添加。

辅食添加过早可能会对健康产生不良影响，不满 4 个月添加菜水、果汁、水果泥等都属于过早添加。家长同时还要注意，在尝试添加辅食期间，还要保证孩子一贯的喂养规律，不要主动减少母乳或配方粉喂养的量和喂养次数。

婴儿第一口辅食的最佳选择：
婴儿营养米粉

营养米粉不是方便粉　　也不是半成品

是专为婴幼儿设计的均衡营养食品。

均衡营养

自家做的米粉中营养成分不丰富、不均衡，不利于婴幼儿的生长所需。

● 首次添加辅食的最佳选择：婴儿营养米粉

首次给孩子添加辅食，好多家长都不知道究竟应该选择什么，应给孩子吃鸡蛋，还是吃菜泥？其实都不是，首次添加辅食最好的选择是婴儿营养米粉。

婴儿营养米粉和婴幼儿配方粉一样，是专为婴幼儿设计的均衡营养食品。它所含的营养成分比较全面，其营养价值远远超过鸡蛋黄及蔬菜泥等营养相对单一的食物，更能满足婴幼儿的生长需求，而且过敏发生的概率也低。营养米粉以米为基础，但不是简单地将米磨成粉即可，而是在米粉的基础上添加了婴幼儿生长必需的多种营养素，包括足够的蛋白质、脂肪、维生素、DHA、纤维素和微量元素，其中还有人们高度关注的钙及维生素 D，特别富含铁。这些营养素是这个年龄段发育所必需的。此外，有些品牌的婴儿营养米粉还添加了益生元或益生菌。

除了在营养方面所具备的优势，婴儿营养米粉还非常容易调制成均匀糊状，调制量任意选择，随时选用，而且味道接近母乳或配方粉，这使得它更容易被婴儿接受。

小儿辅食添加的原则：少量、简单

给孩子添加辅食要一种一种地添加，由简单到复杂，并要把握以下原则：

1. 要根据咀嚼状况选择食物性状，不与其他孩子比较。

2. 根据大便次数和性状，了解孩子对食物的消化和吸收程度。

3. 出现异常情况，如呕吐、腹泻、出疹子、拒食等，要及时停喂这种食物。

● 小儿辅食添加的原则：少量、简单

开始添加辅食的时间在 4~6 个月，启动辅食也需要两个月时间，按着少量、简单的原则，一种一种地给孩子添加辅食。仔细观察孩子的接受情况，以便随时调整添加方案。

开始添加第一种时，可以在一天之内喂食两次，连喂 3 天，在这 3 天之内要留心观察，如果孩子接受良好，那么这种食物进食一周后，就可以再添加另一种新食物了。一旦孩子出现异常反应，要暂时停喂，3~7 天后再添加这种食物，如果同样的问题再次出现，应考虑孩子对此食物不耐受，需停止至少 3 个月，以免对孩子造成损伤，如过敏。家长要注意观察孩子的不适症状是否可以缓解，同时向医生、有经验父母请教，寻找原因和解决的办法。在 2~3 个月的时间内用这种方法不断尝试，就可获得最合适孩子的食谱了。

家长或许会觉得这种方法有点麻烦，但是这么做很有必要。如果几种新食物同时添加，一旦孩子出现不耐受现象，家长很难一下子发现原因。添加辅食要由少到多、由简单到复杂，根据孩子的接受情况而随时调整。最初可添加营养米粉，等孩子能够接受米粉后，逐渐添加维生素和纤维素为主的菜泥、蛋白质为主的肉泥和蛋黄，要将这些食物混入米粉混合着喂食，营养也会相对丰富和均衡。初期的辅食比较清淡，混合起来喂食会使辅食味道良好。

孩子 1 岁前，都要把其他食物混在米粉中给孩子喂养，这样还可以避免因多种味道食物分别刺激孩子而出现的偏食或挑食的现象，减少未来出现不良饮食习惯的可能性。

● 喂养顺序：先喂辅食后喂奶，一次吃饱

刚开始添加辅食时，家长往往比较随意，想起来了就给孩子喂一点，没有计划性，这其实是不对的。家长不仅要关注辅食的种类与添加方法，更要使每次添加过程更科学，在细节上做到位。

每次辅食添加的时间应该安排在两次母乳或配方粉之前，先吃辅食，紧接着喂奶，让孩子一次吃饱。添加辅食之初，每次辅食的进食量有限，需要再补充奶才能让孩子吃饱了。这样做能够避免出现少量多餐的问题。少量多餐不仅会影响孩子进食的兴趣，还会影响消化的效果。辅食添加的规律为一天两次。

之所以要先吃辅食，是因为要持续保持孩子"饥"和"饱"的感觉。两次喂奶间给孩子添加辅食，此时孩子还未饥饿，对辅食兴趣不大；进食后也未必吃饱；下次吃奶时又还未饥饿，造成对奶的兴趣降低。周而复始，孩子失去了"饥"和"饱"的感觉。饱腹的体验，不仅可满足心理需求，还会促进胃肠功能发育；饥饿感觉的缺失，会导致孩子进食兴趣的相应降低，受此影响，胃肠功能也会下降。

另外，添加辅食后，孩子的进食时间和进食次数都不应该有明显改变，奶的摄入量也不应因为添加辅食而减少。只增加了一项，要在两次喂奶前有辅食的先期食入。

孩子没有别人家孩子吃得多怎么办？

家长不要以其他孩子的进食状况作为自己孩子的进食标准，而要关注以下几点：

1. 进食过程是否顺利。如果进食顺利，孩子会调整每次进食数量，而不应是家长绝对调控。

2. 进食后是否达到满足感（饱腹感）。

3. 大便是否正常。若大便中带有原始食物颗粒，可将辅食加工得再细致些；若大便量增多，可适量少喂些。

4. 生长是否正常。

吃多了不限制，吃少了不强制

　　家长应控制每次孩子进食的种类，由孩子自己去控制每次具体的进食量。孩子对食物的接受状况也非常重要，家长也要细心观察。家长应尊重孩子的自我调控能力，如果每次都能将为其准备的奶喝完或辅食吃完，同时没有呕吐、腹泻等不适表现，家长就可以逐渐给孩子增加奶量或辅食量。家长要把握好一个分寸，即吃多了不限制，吃少了不强制，这样孩子对进食才会有兴趣。

　　相对于对进食量给予太多关注，家长更应该关注进食过程和喂养行为，这不仅决定进食量，也决定今后的行为发育。强迫、哄骗进食，不仅不利于营养的消化和吸收，也容易诱导孩子出现异常行为，对近期、远期身体和行为发育都不利！孩子不是机器，只要进食一定食物，就能达到相同效果！

　　要让孩子有效地体会"饥"和"饱"的感觉，了解和发现孩子的进食规律，以便合理配合；不主观臆断，也不与邻家孩子做比较，让孩子根据自己的真实感受有效调控进食数量。这一点上，家长要把握一个原则：即使进食正常的孩子，每次进食也可能有 20% 的偏差，每天进食可能有 40% 的偏差。

　　此外，家长也不宜迷信从各种渠道获得的相关喂养信息，可以把这些信息当做参考。除了每次进食量，两次的进食间隔时间和每日进食次数也应根据孩子的情况酌情决定。

输送

母亲怀孕期间进食和吸收的许多味道会被输送到其羊水中。婴儿对味道的选择，早在母亲孕期就开始培养了。

婴儿更愿意吃自己熟悉的味道，所以母亲在孕期应该进食多种食物。

 在母乳喂养期间，母亲的饮食种类会影响到母乳的味道，这也是婴儿今后能顺利接受自己家庭食物味道的基础。

 仅仅把食物端到孩子的面前看他是否愿意吃是不够的，必须让他尝试。

实际上，家长不应该把注意力放在孩子的面部表情上，而应该放在他吃的意愿上，不断让孩子多次尝试，比如孩子在接触一些略带苦味蔬菜时，在反复的尝试中孩子的接受度在逐渐增加。

● 家长对孩子口味的引导

婴儿对味道的选择，早在母亲孕期就开始培养了，因为母亲进食和吸收的许多味道会被输送到其羊水中。婴儿出生以后的纯母乳喂养期间，也是影响孩子未来对食物选择的一个阶段。母亲饮食的种类会影响到母乳的味道，这也是婴儿今后能顺利接受自己家庭食物味道的基础。从这点来说，母亲除了不要吃会引起婴儿湿疹、腹泻、便秘、肠胀气等不适的食物外，饮食要尽量丰富多样。添加辅食以后，为了增加婴儿对食物的接受度，除婴儿营养米粉之外，母亲在怀孕与哺乳期喜欢吃的食物就应该成为婴儿最早接触的食物。

度过最初的适应期，家长就应该让孩子接触各种味道。婴儿可以区分不同种类的水果和蔬菜的味道，品尝某种特定食物或吃各种味道的食物都能增强婴儿进食各种各样食物的意愿。在吃饭时和两餐之间，母亲要反复让婴儿吃多种营养丰富的水果和蔬菜，还要把握时机在熟悉的食物中添加新口味，帮助婴儿适应新食物，这样做不仅能促进味觉发育，还有助于今后的进食。因为食物的味道不同，其营养素含量相差较大，所以喜欢不同的味道最终会增加营养成分的摄入种类，并提高实现均衡饮食的可能性。家长要把握好添加新食物种类的度，更应该关注孩子所处的阶段。1岁内婴儿宜进食母乳、配方粉和泥糊状且味道清淡的辅食，以原味食物为主，1岁后，就可以逐渐添加口味稍重的食物了。不要让孩子过早尝试添加了调味品的食物，接触味道较重的食物，这样容易导致婴儿"厌食"自己的食物，造成营养摄入不足，也不要过早添加成人的食物，以免出现消化不良，影响营养素的吸收。3岁幼儿才能完全接受成人食物。

2岁~2岁半

谁都知道人类的牙齿是用来咀嚼的，可是几乎所有的婴儿在刚生下来时都没有牙齿。

当婴儿长到6个月左右的时候牙齿才开始萌出，大约到2岁~2岁半乳牙才基本长齐。

其中磨牙开始长出的时间大约在1岁半左右。根据这样的规律，孩子什么时候能够咀嚼小块状的食物呢？

咀嚼能力形成的两个阶段为咀嚼动作的形成与咀嚼效果的出现。千万别认为孩子有牙就会咀嚼，千万别认为给孩子小块状食物就会咀嚼。孩子开始添加泥糊状辅食时，要教会孩子口中有食物时应该咀嚼，先学会咀嚼动作，待磨牙长出后就会有良好的咀嚼效果。如果婴儿还未萌发磨牙（俗称大牙），即使已具有咀嚼动作，但不会有咀嚼效果。

家长要开始训练孩子的咀嚼动作

咀嚼虽然是人的本性之一，但也不是先天固有的，需要有一定的前提条件——磨牙的存在和有效咀嚼动作。孩子出生后 6 个月起开始萌出的前面门牙，可以啃食物，但是不可能达到磨碎食物的作用，因此不能参与咀嚼。

对于磨牙还没有萌出的婴儿，家长应该有意地先训练孩子的咀嚼动作。当孩子进食米粉等泥糊状食品时，家长嘴里也应同时咀嚼口香糖之类的食物，并同时进行夸张的咀嚼动作。通过这样的表演式的行为诱导，孩子就会逐渐意识到进食非液体食物时应该先进行咀嚼，才能吞咽。

多次进行咀嚼式表演的诱导，孩子就会学会吞咽前的咀嚼动作。即使孩子学会了咀嚼，在磨牙萌出之前，还是不能给婴儿提供含有小块状的食物。因为无效或效果极微的咀嚼动作不能达到食物有效的研磨，这样的食物直接吞进胃肠，会造成食物消化和吸收不够完全，既增加了食物残渣量，也就是粪便量，同时也减少了营养素的吸收，长时间还可造成生长缓慢。

孩子喜欢进食大人食物可能与大人食物味道丰富有关。加上有些孩子吞咽功能又强，就会出现囫囵吞枣式的进食方式。这样非常不利于食物内营养素的吸收，会造成排便量增多，生长反而减缓，达不到预期的效果。

磨牙萌出，加上有效的咀嚼动作就可开始真正咀嚼块状食物了。这是个循序渐进的过程，家长不要操之过急。此时，家长给孩子喂食时，仍然要进行表崔医生，你好！我家小男孩两周岁半，吃饭总爱含着不咀嚼，或者给吐出来，或者囫囵咽掉。有没有什么好方法？

这说明孩子不会咀嚼或者不明白嘴里有食物需要咀嚼。解决孩子不爱咀嚼的情况并不难，每次喂饭时家长与孩子一同吃，并在孩子面前夸张地咀嚼，用实际行动教会孩子咀嚼。当然，家长一定要有耐心。只有咀嚼效果好，营养素吸收效率才高。

何时开始训练孩子的咀嚼能力？

只要开始吃辅食，就应开始咀嚼能力的训练。喂辅食时，大人应嘴里同时咀嚼食物，哪怕是口香糖，这可从行为上引导孩子，当口内有食物时应该咀嚼。只有学会了咀嚼动作，当磨牙长出后才会有咀嚼效果。咀嚼过程促进面部细小肌肉的发育，对语言的发育也意义重大。

演式的咀嚼动作，使孩子巩固进食时先咀嚼再吞咽的习惯。如果孩子在磨牙萌出之前没有学会咀嚼，就有可能出现即使有了磨牙也不咀嚼而直接吞咽的现象。有些孩子吞咽能力较强，即使没有充分咀嚼食物同样可以直接吞咽。家长往往不会发现太多的问题。可是有些孩子不接受直接吞咽小块状食物，就会在进食时将小块食物吐出来。遇到类似情况，家长更应该采用表演式的咀嚼动作渲染进食过程。千万不要责备婴儿，以免造成婴儿心理逆反，更加不接受小块状食物。另外，家长必须根据孩子的磨牙萌出作为前提，而不是以磨牙萌出的"规律"作为依据。因为婴幼儿磨牙萌出的时间差异较大。

咀嚼是个循序渐进的过程，既要等待磨牙的萌出，又要及早训练咀嚼能力。如果两者不能得到很好的匹配，就会出现囫囵吞枣进食现象；或者不接受进食块状食品现象，其结果都可造成营养素吸收不足，长时间可影响婴幼儿的生长发育。

辅食的性状要与咀嚼能力相符

添加辅食后，婴儿的胃肠道需要逐渐成熟。从出生后初期的纯液体食物，逐渐过渡到泥糊状食物、粗粒食物、小块状食物。

注意肠道功能

食物性状的逐渐过渡，与年龄、胃肠道功能有关，家长要根据孩子自身胃肠道情况循序渐进调整食物的性状。

还与牙齿发育情况和咀嚼能力有关，如果婴儿大便中可以见到原始食物的迹象，此时孩子的食物还应为泥糊状。磨牙萌出后才可喂块状食物。

固体食物要在10个月之前引入

在婴儿的饮食中添加块状固体食物有一个关键的窗口期，如果10个月后才开始引入，通常会使辅食添加变得更困难，尤其是那些在1岁以内仅喂食流食的婴儿。

● 辅食要粗细搭配，循序添加

辅食添加训练进行几个月以后，家长基本就能找到适合孩子的食谱了，但总会感觉这份食物略显清淡单薄。想给孩子把这份菜单丰富起来，又担心会出现过敏或不耐受等不适情况。那么，什么是合适孩子吃的食物呢？

在孩子逐渐适应了各种食物以后，就要注意食物的粗细搭配了。这里的粗细搭配不单指粗粮与细粮的合理搭配，还包括对食物加工形态的选择。

辅食添加的原则是由少到多、由细到粗、由稀到稠、由单一到混合。建议从婴儿营养米粉加起，逐渐加入菜泥、肉泥、蛋黄等。建议 8 个月再添加蛋黄，1 岁后再加鲜牛奶及其制品、带壳的海鲜、花生及其他干果。目的是为了减少过敏的发生。1 岁之内不建议在食物中加入食盐和食糖。每种新食物的添加都要观察满三天，了解婴儿对食物的接受度，包括是否有过敏发生。

食物性状与接受度密切相关。对于没有过敏的婴幼儿来说，没有不能接受的食物，只有不能接受的性状。

家长在添加辅食时，要记住以下几条：

1. 禁食的食物种类：1岁以内的婴儿食物不应包括鲜牛奶及其制品、大豆及其制品、鸡蛋清、带壳的海鲜，也包括含这些食物的食品，如含鸡蛋的蛋糕。

2. 食物性状。磨牙（大牙）尚未长出前，应以泥糊状食品为主。

3. 不同的孩子因其体质特征，有其应该禁食的食物种类，要根据接受（过敏、腹泻、便秘等）情况确定食物种类，不要和别的孩子相比。

4. 1.5岁以内，奶是孩子的主食，不要喧宾夺主。

5. 1岁以内婴儿的食物中不应主动添加食盐、食糖等调味品。

给孩子食用时要注意的食物种类

有一些种类的食物并不是不可以给孩子食用，但是需要注意添加的方式方法，在此为家长朋友们总结如下：

添加荤食在米粉、果蔬泥之后

荤食代表的是富含蛋白质的食物，理论上满 6 个月以后的孩子就可以添加，但是要有几个前提，孩子对米粉或者其他简单的辅食是否已经接受，荤类食物的加工性状是否为泥状，孩子接受荤食后，是否会出现过敏等表现，如果没有上述的问题，家长一定要遵循由少到多，由简单到复杂的规律，逐渐添加。

尽量不吃罐装食品

任何罐装的泥糊状食品都不如自己家现做的新鲜。虽然很难确定其中是否含防腐剂或添加剂，但是毕竟新鲜度不如现制的婴儿食品。家长应该自己给孩子做辅食，除非有些自己不能做，比如营养米粉等。

吃干果时要注意方式

杏仁有降气、止咳、平喘、润肠通便的功效；松子含有丰富的维生素 A 和维生素 E 以及人体必需的脂肪酸、油酸、亚油酸和亚麻酸，还含有其他植物所没有的皮诺敛酸；榛子含有不饱和脂肪酸，并富含磷、铁、钾等矿物质；我们经常可以看到的葵花子、南瓜子和西瓜子等瓜子也不错。这几种干果的营养都

给婴幼儿喂辅食时大人是否应该用语言诱导进食？

喂饭时，大人的语言不会起到鼓励的作用，反倒容易诱导孩子分心，特别是边吃饭边玩时，容易让孩子形成"吃＋玩＋说话＝吃饭"的概念。

这样不利于孩子安静进食。建议家长给孩子喂饭时自己口中咀嚼一些食物，哪怕是口香糖，都会诱导婴幼儿专心进食。

孩子喂饭时最不应该的就是边给孩子喂饭边说话。很多大人以为小婴儿能够很好地理解大人的说话。给孩子喂饭时，嘴里不停地夸孩子等，其实会导致孩子养成边吃饭边说话的坏毛病。

如果大人在给孩子喂饭时自己嘴里也咀嚼食物，反而增加孩子对进食的兴趣，利于养成专心进食的习惯。

比较独特，适合孩子吃，但要注意方式。1岁以下孩子不要吃花生、榛子等干果，目的是为了预防过敏；3岁之内可以接受研碎的干果，这样既可获得干果的营养，又不存在可能发生气管异物的风险。特别要提醒家长的是，在孩子咀嚼干果时，不要让孩子情绪波动，以免呛入气管发生危险。

1岁之内禁食豆腐、果冻

1岁之内的孩子还没出磨牙，对食物性状要求比较高。豆腐、果冻等看似非常软的食物，但韧性较大。若孩子吞咽不好，这些食物很可能如同胶布一样黏附于喉部，造成窒息。临床中我们也多次遇到过因喂食豆腐、果冻造成窒息的例子。

对于1岁以内的婴儿，豆腐的营养没有特别之处，并不一定非要食用。

如何促进孩子进食？

绿碗＋红勺 ✓

使用颜色鲜艳的碗和勺，一是方便辅食摄入，二是为了迎合孩子发育的需求。利用碗和勺的喂养对孩子的集中能力是一种很好的训练。

进食前诱导 ✓

喂养前大人要先吃饭，以此来诱导孩子的食欲。

一边进食，一边看电视、玩玩具 ✗

分散注意力进食对消化不利。

大人喋喋不休说话 ✗

大人说话会使孩子将兴趣转移到和家长的沟通上，导致吃饭不专心，使进食效果大打折扣。

咀嚼口香糖 ✓

大人嚼口香糖能够引诱孩子咀嚼。

强迫孩子进食 ✗

强迫进食容易使孩子产生抵触情绪，尊重孩子对食物量的选择有利于喂养。

构筑孩子合理的饮食结构

在给孩子添加辅食时，家长还要注意逐渐增加进食种类，此处家长更要关注的是食物的结构，而不单单是品种。孩子每次进食都要合理搭配，不要集中在1~2类食物，而要组合富含蛋白质（肉类、鸡蛋）、脂肪（奶类）、碳水化合物（粮食）、维生素（蔬菜、水果）的食物。另外，不同的月龄，食物的结构组成不同，整体上趋于复杂，家长要根据孩子所处的阶段适当调整：

4~6个月：以母乳或婴儿配方粉为主食，逐渐尝试添加辅食，辅食种类和数量要少，性状要细。

7个月~1岁：以母乳或婴儿配方粉为主食，添加辅食后不主动减少奶量；辅食中首先要考虑碳水化合物的摄入量——包括婴儿营养米粉、稠粥或稠烂面条，在此基础上添加蔬菜、肉泥和（或）鸡蛋黄。由于蔬菜、水果中含能量极少，所以碳水化合物食物是辅食中的"主食"，至少应占每次喂养量的一半。辅食的性状可逐渐由细变粗，种类逐渐增多，数量逐渐增加。

1~1.5岁：辅食与奶制品可以达到1:1的关系。辅食中食物结构配比同7个月~1岁之间的。食品选择得当，进食正常，就无需依赖营养品或补剂。

1.5岁以后：食物种类与成人食物相似，但味道相对清淡，性状相对软和细。直到3岁才可真正与大人一同分享食物。

孩子的饮食结构在过渡到成人的饮食之前，伴随着身体的发育，需要定期进行调整，以免出现营养不良。只要家长把握好以上几项原则，在均衡饮食（母乳、婴儿配方粉、婴儿营养米粉）的基础上丰富饮食即可，没有必要再额外添加营养品了。

辅食添加效果的判断：

1. 神经系统发育
进食行为训练

2. 过敏的预防
预防湿疹、荨麻疹、腹泻或便秘等

3. 心血管疾病预防
1岁之内不主动在辅食内添加盐

4. 代谢疾患预防
均衡营养，预防肥胖及生长发育迟缓等问题

5. 味道和食物偏好引导
不在辅食中添加糖、水果等甜味食品，
让孩子口味逐渐接近家庭饮食习惯

6. 龋齿预防
养成每餐后喝一两口白开水的习惯。

如何判断辅食添加的效果

　　家长们在给孩子添加了辅食以后，多会去关注孩子每餐吃了多少，与同龄孩子相比较身体及智力的发育是否有差距，而对更应该关注的辅食添加以后的效果却忽略了。添加辅食的目的之一是为了孩子更好地成长，使孩子的饮食结构逐渐接近成人。虽然这个过程至少需要 1~2 年的时间，但从辅食添加开始就要有所考虑。

　　"吃饱"只是喂养的目的之一，"吃好"才是最重要的。评价喂养效果的所有标准中，孩子的生长情况是最重要的一项，可以用"生长曲线"来判断。利用生长曲线连续观察身高、体重等生长指标，了解生长变化过程。但如果孩子的生长正常，就不要被一些简单"指标"——大便颜色和次数、出汗多少、比其他孩子瘦、没有某些孩子胃口大等无比较意义的指标所干扰。

　　此外，辅食添加效果的评判，还应包括神经系统发育（进食行为训练）、过敏的预防（湿疹、荨麻疹、腹泻或便秘等）、心血管疾病预防（1 岁之内不主动在辅食内添加食盐）、代谢疾患预防（肥胖、生长发育迟缓）、味道和食物偏好引导（不在辅食内添加糖、水果等甜味食品，让孩子口味逐渐接近家庭饮食习惯）、龋齿预防（每餐后喝一两口白水）。并不是简单地照本宣科就能达到良好的喂养效果。没有一个食谱或食量标准适合于所有的孩子。我个人认为，以科学研究和先人经验为蓝本，以婴幼儿自身生长和身体状况为基础，以婴幼儿对喂养的接受状况为选择条件，以喂养效果为调整因子的喂养方式才是科学的喂养。

养成良好进食习惯家长应该做到：

1. 孩子进食的时间安排在大人吃饭时或饭后。看到大人吃饭，可以增加孩子进食的食欲。

2. 大人可从孩子的碗内取点食物吃。孩子希望有参与的进食，不喜欢吃"独食"。

3. 给孩子喂饭时，如大人没有进食，可以嚼口香糖，咀嚼的动作能诱导孩子顺利进食。

4. 给孩子喂辅食时大人不需用语言诱导，大人总说话容易使孩子分心，易形成"吃＋玩＋说话＝吃饭"的概念。

5. 不要过早让孩子品尝大人的食物，这样容易使孩子的味觉过早发育，影响到孩子对辅食的接受度。

6. 孩子吃食时不要用玩具、看动画片等作为诱导，分散注意力进食对消化不利。

7. 如果其他家人没有同时进食，就要远离孩子进食场所避免干扰孩子进食。

8. 每次喂饭要控制在30分钟之内，没吃完也要结束，避免孩子产生厌恶情绪。

从小培养良好的饮食习惯

好的习惯必须从小抓起。合理的饮食结构和良好的饮食习惯是孩子身体健康成长的保证。一般应做到以下几点：

1. 舒适的进餐环境：进餐的环境要安静、卫生，餐前要洗手。大人不要在进餐时训斥孩子，保持孩子心情愉快。切忌边吃边玩。

2. 食物种类多样：食物应注意粗细搭配，粮食类（包括粗粮、细粮）、豆类、肉蛋类、鱼类、蔬菜、水果、油、糖等各种食物都要吃。

3. 定时定量：每顿饭的量要合适，早餐、午餐、午点、晚餐之间的比例以20% ～ 25%、35%、10%、30% ～ 35% 为宜。教孩子细嚼慢咽，不暴饮暴食。

4. 调味料尽量少：盐分会影响血压、增加肾脏的负荷，而糖分过多则会引发龋齿，应尽量少吃。

营养学专家建议

对胃口不好的孩子，有专家建议可考虑适当补充一些复合维生素 B 等药物，它可有效促进肠胃道消化功能，增进食欲。

挑食偏食也会造成营养素摄入不均衡，有时额外地补充多种维生素也是非常必要的，但仅是下策。

小小维 B，大作用

除了增进食欲之外，B 族维生素还可以帮助辅助治疗口腔溃疡、口角炎、

让孩子有"饥饿"的感觉

如果孩子不能安静进食，只有通过玩耍等诱导或哄骗才能吃饭，说明喂养方式出现问题，根源在大人。大人定下了进食总量，一旦孩子没有完成，就利用哄骗手段，逐渐养成进食时不安静的状况。

家长应该尊重孩子，一次吃得不够，下次自然会多吃，不要强迫。除了孩子本身饥饿时，大多数时候需要家长诱导孩子饥饿。

定时进食，有助于使孩子自然产生饥饿感；在孩子面前大人先进食或与孩子共同进食，是有意诱导饥饿。

"饥饿"是诱导孩子专心进食的前提，可以通过"饥饿"疗法改善。

促进毛发营养等。最新研究证明，B 族维生素还有一个非常重要的功能 —— 滋养脑部神经。B 族维生素作为合成神经递质的辅酶成分，滋养神经，加强脑神经信息传递，从而有效促进儿童智力发育，提高儿童的学习能力。研究证明，B 族维生素能促进神经生长和再生，显著提高神经细胞和神经节的活力，具有保护神经的作用。其中：

维生素 B_1 可提高儿童的视力、记忆力和智力。

维生素 B_2 参与细胞的生长代谢，是肌体组织代谢和修复的必须营养素，促进生长发育。同时保护皮肤毛囊黏膜及皮脂腺的功能。

维生素 B_3（烟酰胺）是烟酸在体内的活性形式，可帮助提高儿童的注意力，同时帮助预防腹泻和皮炎。

维生素 B_6 可影响学习记忆能力，缺乏可能会引起学习记忆功能降低。

维生素 B_{12} 的缺乏，会令行为和语言发育有所迟钝。严重的可出现学习成绩差，个性改变，呆滞、抑郁等精神症状。

所以，进食蔬菜极为重要，特别是应该保证绿叶菜的摄入。补充维生素 B 或多种维生素制剂不是良策，因制剂中可能含有添加剂等额外成分。

避免维生素的流失需注意

1. 清洗各类原料，均应用冷水，清洗时间要短，不能浸泡或长时间搓洗。

2. 要遵守先洗后切的原则，先切后洗会使水溶性维生素和矿物质损失。整根绿叶菜在沸水中焯后再剁碎。胡萝卜应过少许油后再蒸熟。

3. 在饭菜质量要求允许的情况下，原料尽量切得细小一些，以缩短加热时间，有利于营养素的保存。

4. 原料尽量做到现切现炒、现做现吃，避免较长时间的保温或多次加热，可减少维生素的氧化损失。

5. 在焯菜、做面食时尽量不加碱或碱性物料，这样可避免维生素、蛋白质及矿物质的大量损失。如果在面条、粥中加入青菜，应在基本做熟后，加入焯后并剁碎的蔬菜。加入蔬菜后尽快出锅，以免青菜内营养损失。

6. 鲜嫩原料提倡旺火快速烹调，缩短原料在锅中停留的时间，这样能有效地减少营养素受热被破坏。

合理烹调，留住营养

优秀的烹调大师，不光指烧的菜色、香、味俱佳，更重要的一点还要最大程度上保留住食物的营养。稍不注意，中国传统的烹调方式就有可能会破坏食材中的各种维生素。为了给孩子提供充足的成长动力，妈妈们需要尽量注意掌握正确的烹调方法：

怎样合理烹调

1. 米、面等主食的合理烹调

淘米时，随着淘米次数、浸泡时间的增加，米、面中的水溶性维生素和无机盐容易受到损失。做泡饭时，可使大量维生素、无机盐、碳水化合物甚至蛋白质溶于米汤中，如丢弃米汤不吃，就会造成损失。熬粥、蒸馒头加碱，可使维生素 B_1 和维生素 C 受破坏。很多油炸食品，比如炸薯条等，经过高温油炸，营养成分基本已损失殆尽。总之，在制作米、面食品时，以蒸、烙较好，不宜用水煮或用油炸，以减少营养素的损失。

2. 蔬菜的合理烹调

蔬菜含有丰富的水溶性 B 族维生素、维生素 C 和无机盐，如烹调加工方式不当，很容易被破坏而损失。比如，把嫩黄瓜切成薄片凉拌，放置 2 小时，维生素损失33% ~ 35%；放置 3 小时，损失41% ~ 49%。炒青菜时若加水过多，大量的维生素溶于水里，维生素也会随之丢失。包馄饨时，我们总是把青菜先孩子的食品安全应该值得特别关注，但不是所有东西都有儿童专用品。比如，食用油、酱油、奶酪等食品，原始制作过程中就没有儿童专用的制作方法。

儿童食品安全

如果有儿童专用食品，就意味着是再加工食品。其实，再加工食品的安全性值得商榷。只要给孩子选择适量的常规食品就可以了。

煮一下，挤出菜汁后再拿来拌馅儿，维生素和无机盐的损失则更为严重。将整根绿叶菜放入水中焯，不要事先切碎，否则会造成蔬菜中的维生素流失。做熟的青菜不要放置过久，以免亚硝酸盐的形成。胡萝卜含有大量的 β - 胡萝卜素。但它们只存在于细胞壁中，必须经过切碎、煮熟及咀嚼等方式，才能加以利用。另外，β - 胡萝卜素是一种脂溶性物质，因此生吃或者烧汤都不能加以吸收。胡萝卜泥的制作方法是将大块胡萝卜用少许油煸炒一下，放入锅中蒸熟，再捣碎喂给孩子。

3. 肉类的合理烹调

由于婴儿磨牙少，咀嚼能力较弱，对于肉类只能加工成泥糊状。将肉泥与米粉、米粥或面条混合，再加上一些蔬菜泥，更能体现出营养价值。

营养学专家建议

当孩子咀嚼能力增强后，可选用橄榄油煸炒绿色蔬菜，β - 胡萝卜素的吸收量是蒸着吃的 5 倍。而 β - 胡萝卜素对儿童的视力有保护作用。尽量用铁锅烹调番茄等酸性食物，它能使活性铁的吸收量超过 2000%。炖汤的时候滴几滴醋，能更好地溶解骨头里的钙质，从而使汤品的含钙量增加 64%。

从小开始 预防 肥胖

近8成的儿童期及青春期肥胖会发展为成人肥胖。

而成人肥胖则易于引发一些慢性病。

包括第Ⅱ型糖尿病、心血管疾病、高血压、中风及癌症等，花费的医疗成本相当可观。

儿子，看来你不胖！

儿童期肥胖是成人健康的杀手，家长要依据婴幼儿、儿童生长曲线纵向了解孩子的生长速度，不要横向与其他同龄孩子比较。

从婴儿期开始预防肥胖

婴儿出生后头几个月内，体重的迅速增加可能会影响到日后罹患其他非传染性疾病的风险，这些疾病包括高血压、肥胖、非胰岛素依赖型糖尿病或冠心病等。但这种影响在生命早期却不会显现。

现在，儿童肥胖人数正在逐年增加。2 岁之内的婴幼儿出现肥胖的迹象，往往是身高、体重同步增长，表现出比同龄儿童"大"。

蛋白质摄入过多是引起肥胖的主要原因之一。蛋白质过多会刺激体内胰岛素和胰岛素样生长因子 –1 分泌增多，早期促进婴幼儿身高、体重同时过度增长，同时也刺激了脂肪细胞分化过度，形成成人肥胖的基础。从食物中摄取优质蛋白质，就能满足身体的需要，不要轻易给孩子"补"蛋白粉，保证每餐中蛋白质食物即可，鸡蛋、肉等不要超过每次进餐量的 1/4。

通过在婴儿期增加富含纤维素的摄入量，母乳即是富含纤维素（低聚糖）的食物，同时适当提供富含蛋白质的食物。千万不要认为含蛋白质的食物吃得越多越利于婴幼儿的生长。蛋白质摄入适宜，可以预防儿童及成人期肥胖。

婴儿期添加辅食的类型不仅影响当时的营养状况，还可能影响日后对食物的喜好。早期将多种食物混合在一起，利于孩子对食物味道的接受。如果婴儿早期喂养中将不同食物分别喂养，可能导致婴儿对不同味道的食物进行选择，易出现以后的偏食现象。

肥胖不仅与进食多有关，还与运动量小有关。家长要注意督促孩子多运动。对婴儿来说，鼓励孩子在清醒状态下多趴着，趴着和爬行不仅增加运动量，而且也利于神经系统发育。另外，外出时要尽可能多地进行户外运动。

2

家长容易进入的
辅食添加误区

常见的辅食
添加误区

鸡蛋黄不适合做宝宝的第一口辅食，婴儿营养米粉才适合。

婴儿营养米粉 PK 鸡蛋黄

	婴儿营养米粉	鸡蛋黄
过敏的可能性	极低	较高
营养成分	比较全面	比较单一
接受程度	接近母乳或配方粉，更容易接受	不易接受
未来偏食的几率	小	大
消化吸收程度	更容易消化	难消化，不易吸收
不耐受可能性	小	大

（注：以上对比只针对把这两种食物都当做第一口辅食时的情况。）

● 把鸡蛋黄作为孩子的第一种辅食

一直以来，人们已经习惯了把鸡蛋黄当做孩子要尝试的第一种辅食，这与当时的食品供应状况和食品加工水平有关。鸡蛋在婴幼儿生长发育过程中确实有重要作用，但把鸡蛋作为目前孩子的第一辅食，实在是家长们走入了误区。事实上，过早给孩子添加鸡蛋黄是非常不妥的。

研究表明，鸡蛋黄的营养成分算不上是均衡的，而且很容易引起孩子过敏。4~6 个月的宝宝肠胃还很虚弱，摄入鸡蛋黄也容易引起消化不良，继而影响到宝宝的发育。对于进食及发育均良好的孩子来说，家长可以将添加鸡蛋黄的时间推迟到 8 个月以后，而鸡蛋清要等到 1 岁后才能添加；对于明确蛋黄过敏（食物回避 + 激发试验阳性）的婴幼儿，停止食用鸡蛋黄至少 6 个月后才能再次添加。对牛奶蛋白过敏的孩子，更要严格地将添加鸡蛋黄的时间控制在 8 个月以后，这样可减少过敏发生的可能性。

另外，孩子在 8 个月之后 1 岁之前，家长要给孩子吃煮鸡蛋的蛋黄，煮熟的鸡蛋黄比较容易被消化吸收；满 1 岁以后，就可以给孩子将全蛋烹制成鸡蛋羹喂养了。

● 辅食仅给孩子吃鸡蛋

我经常会遇到家长们询问："我给孩子喂得并不少啊，几乎每天都喂一个鸡蛋（鸡蛋黄），但是孩子的体重增长为什么这么缓慢？"有这种情况的家长可能都走进了一个误区，即一餐辅食仅吃一个鸡蛋羹或蛋黄，这样肯定是不合理的。家长要将孩子的饮食合理搭配，鸡蛋羹（蛋黄）内混合上蔬菜、米粉或米粥，这样营养搭配的效果相对要好很多。

也有的家长考虑到孩子曾经对鸡蛋黄过敏，担心孩子营养不如别的孩子好，所以在孩子能吃鸡蛋黄以后，每天给孩子补充两个鸡蛋黄。这样做也是不妥的，如果只添加两个鸡蛋黄而没有碳水化合物的摄入，会造成营养不均衡，人体会将部分蛋白质转化成能量，这既削弱蛋白质的营养价值，也增加了人体肝肾负担；将鸡蛋黄或鸡蛋羹这种富含蛋白质的食物与富含碳水化合物的米粉、粥、面条混合，同时加入青菜等，更利于人体对蛋白质的吸收利用。另外，在形式上，煮熟的鸡蛋黄要比蒸鸡蛋羹更容易吸收，家长可以根据孩子的具体情况权衡一下，选择更适合孩子进食的烹调鸡蛋的方案。

总之，鸡蛋虽然富含蛋白质，但并不能包含所有的营养素，家长要将孩子的饮食合理搭配，喂养的效果才会更好。

46

● 让孩子过早接触成人食物

经常会有家长向我抱怨，开始吃辅食不久的孩子不愿意吃辅食，每次吃两口就哭。仔细询问得知，大人吃饭时，经常给孩子喂些大人的食物，孩子都非常喜欢吃。问题很明显了，孩子不喜欢吃辅食的原因，是因为接受了大人味道较重的食物后，对清淡的辅食产生了抗拒。这也是辅食喂养中家长们经常会走入的"误区"。

辅食味道较清淡，加上婴幼儿味觉本身还不够敏感，接受辅食原本应没有问题。但是，一旦给孩子尝过大人的食物，哪怕只是一点点，都可能刺激婴幼儿味觉的过早发育。一旦孩子喜欢上大人食物的味道，又让他必须接受婴幼儿辅食时，就会出现辅食喂养困难。

所以，家长要让孩子仅接受他自己应该进食的食物，不要受到成人食物的干扰，以免婴儿味觉过早发育，出现喂养困难。

大夫，我宝宝11个月大了，总不好好吃饭。

在体检的近30分钟内，孩子的姥姥在不停地给孩子吃小饼干、泡芙和水果。

孩子不好好吃饭，再不吃些零食，营养肯定不够。

崔医生观点

1.频繁吃零食，看似进食量不少，但胃肠功能未达正常功能状况，对营养素的吸收率会降低。

2.这种进食习惯不好。良好的进食习惯不仅可以保证进食数量，还可保证正常消化吸收功能，从而保证营养素的消化、吸收和利用率。

3.相比较来说，进食食物的方式比数量重要，进食习惯是保证营养摄入的关键。

48

● 给孩子吃很多零食以弥补吃饭不好

孩子吃饭不好，体重增长缓慢，于是好多家长利用一切机会给孩子多吃零食，以弥补孩子的进食不足。

多吃零食看似可增加营养素的摄入，但是家长有没有考虑到，不同的进食方式能否达到同样的效果呢？

人体的消化吸收功能受到进食种类、数量、胃肠内消化液和酶的浓度、胃肠蠕动等多方面影响，不是每日进食总量决定营养素是否充足，进食方式比进食总量更为重要。

建立良好的进食习惯，保证胃肠功能旺盛，营养素吸收效果才好，进食后效果才能充分体现，孩子生长才能得到很好的保障。因为孩子吃饭不好所以给孩子多吃零食，多吃零食又会进一步导致孩子吃饭不好。

9个月宝宝接受母乳喂养+辅食。从6个月加辅食起，体重增长缓慢。一天三次辅食，每次一小碗，接受度很好。每次辅食至少2种菜、外加两次水果。每天还要3次母乳喂养（早上、晚间和半夜）。辅食如此丰富，为何孩子体重增长缓慢？是否与母乳营养不够有关？

给6个月以后的婴儿添加辅食，首先应考虑碳水化合物的摄入量——包括婴儿营养米粉、稠粥或稠烂面条。在此基础上，添加蔬菜、鸡蛋黄或肉泥。蔬菜、水果含极少的能量。碳水化合物食物是辅食中的主食，至少应占每次喂养量的一半。若摄入不足，就会影响体重增长，不要归结于母乳喂养。

● 让孩子多吃蔬菜少吃米粉

很多家长认为孩子即使少吃米粉，也不能少吃蔬菜和钙水，担心孩子缺维生素、缺钙。每餐中米粉只有 1~2 小勺，蔬菜至少占一半，另外还加了鸡蛋或肉。这样喂养看似孩子胃口好，进食多，可体重增长缓慢，喂养效果不好。原因是辅食中产生能量的成分不足，维生素和微量元素并不能提供能量。

婴儿饮食中最为重要的元素是宏量元素，即蛋白质、脂肪和碳水化合物，其中碳水化合物的食物最易被婴儿吸收利用。一次进食中菜、肉占的比例过大，碳水化合物为主的主食过少，少于每次进食的一半，或者主食过稀，比如过稀的粥或面条，会导致碳水化合物摄入不足，以致能量不足，不利于婴儿体重增长。微量元素只有在宏量元素充足的基础上才能发挥应有的作用。

关注孩子的营养均衡比单独强调孩子多吃某种食物更重要。

崔医师，我家宝宝比隔壁孩子还大十几天，可是比人家瘦，还没有人家隔壁孩子胃口大！

不论是母乳、混合，还是配方粉喂养，再到以后辅食添加，评价喂养效果的第一工具是生长曲线。利用生长曲线连续观察身高、体重等生长指标，了解生长变化过程。若生长正常，不要被一些简单"指标"——大便颜色和次数、出汗多少、比其他孩子瘦、没有某些孩子胃口大等无比较意义的指标所干扰。

生长曲线

把别人家孩子的进食量当做自己孩子的进食标准

很多家长都喜欢拿自己家孩子和别家孩子比较，经常担心自己家孩子没别家孩子吃得多，没别家孩子长得大。

每个孩子出生时所在生长曲线的位置是不可选择的，孩子今后的生长应该以生长曲线作为比较的基础。早期生长过快并不意味着今后长大就是高个儿，反而可能意味着孩子今后出现肥胖的机会明显增加。孩子今后的身高与遗传有明显的相关性。

若孩子生长正常，家长就没有必要纠结孩子吃得少，吃得少说明孩子的进食量与生长匹配。若孩子生长缓慢，应考虑孩子胃口小是因为对食物接受度不好，比如味道、形状、过敏等，还是对喂养规律不适应，比如喂养过勤、打乱孩子的生活节奏等。仅与别家孩子比较，不能解决问题。只要孩子接受的营养均衡，按应有的轨迹生长就正常。

家长只需把握好以下几个关键期，就能保证孩子不会缺乏微量元素：

1. 母乳和配方粉喂养期间，母亲正常进食的情况下，每天给孩子服用400IU维生素D。

2. 无需补充钙和锌。母乳能够提供足够且高吸收率的钙和锌，所以无需补充钙和锌。

钙与锌、铁、铜、镁等肠道吸收途径相同。若刻意补充一种微量元素，会造成其他微量元素在肠道的吸收减少。所以才会出现补钙后，血液中锌或铁的水平会降低的现象。

3. 婴儿4～6个月后，添加富含铁的辅食。由于母亲怀孕期间通过胎盘给婴儿输送的铁只够婴儿消耗4～6个月，所以最早添加的婴儿辅食必须是富含铁的食品，如婴儿营养米粉、青菜、瘦肉等。

以上食物均含铁丰富，且血红素铁含量高，是膳食铁的最佳来源。新鲜绿叶蔬菜含铁量较高，且富含促进铁吸收的维生素C，也是不错的补铁食物。

在此要提醒家长，鱼类、蛋类含铁总量及血红素铁均低于瘦肉。

过分迷信微量元素检测

现在好多家长希望通过微量元素检测评价儿童体内的营养状况，这同样是一个误区。

只有通过静脉取血检测的微量元素，才能反映血清含量，通过手指取血会有组织液混入，结果不能充分代表血液水平，而头发检测更是没有意义。即使是静脉取血获得的微量元素值，也只是血液水平，不代表相应的组织内含量。

很多家长都关心何时应该给孩子检测微量元素，因为家长担心孩子会缺什么，怕影响孩子的生长发育。其实，只要孩子生长发育正常，是没有任何必要检测微量元素的。如果生长发育过快或过慢，应该由保健医生评价进食状况和发育状况，寻找原因，及时调整。

孩子的生长发育主要依赖于蛋白质、脂肪、碳水化合物这些宏量元素，生长异常也不是微量元素缺乏所致。微量元素只有在宏量元素充足的基础上才能发挥应有的作用。所以，关注孩子的营养是否均衡，建议家长把喂养重点放在均衡营养上，放在宏量营养素（碳水化合物、脂肪和蛋白质）上。营养均衡比微量元素重要得多。

"缺"和"补"总萦绕着家长。婴幼儿的健康成长不是通过补充微量营养素而获得的，正常均衡饮食下无需刻意补充微量元素。千万不要认为婴幼儿生后必然会"缺"什么，又必然应该"补"什么。放松心情，正常喂养，孩子会生长得非常健康。

● 添加营养品代替正常食物

很多家长担心食品安全问题，所以尽可能晚给或少给婴幼儿添加一些食物，比如肉、鱼等，代之以补充剂来弥补；也有的家长被市场上的婴幼儿营养品或补剂所吸引，比如把孩子的成长依托于补"蛋白粉"、"牛初乳"等营养品上；不少家长也会纠结于是否可给孩子添加国外购买的"洋"维生素和微量元素补充剂。

市场上的营养品和补充剂中不仅不能确定有效成分和含量，而且都含添加剂、防腐剂，选择的补充剂种类越多，添加剂和防腐剂也会随之倍增。虽然家长认为国外的产品在安全角度上有一定的优势，但说到补充营养，仍然是不必要的。

实际上，摄入营养的最佳途径应该是食物，食物中营养素含量和种类肯定比补充剂好。前文已经提到，不同阶段的孩子有自己的饮食结构。孩子每天需要的营养应来自丰富的饮食，根据孩子的年龄选择适宜的饮食种类和可接受的喂养量，均衡营养和正常进食才是生长的基础。所以，只要食品选择得当，进食正常，就没必要依赖营养品或补剂。

如果不给婴儿的食物中加盐，会不会导致孩子氯和钠摄入不足呢？

包括母乳在内的婴儿食品中都含有钠和氯，只因这两种元素不是以氯化钠的形式存在，所以没有咸味。婴儿配方粉、米粉等也是如此。

如果在婴儿辅食内再添加食盐（包括酱油等咸味调味品）会造成钠摄入过多。研究表明，婴幼儿对钠非常敏感，1岁之内额外添加钠，6岁即可观察到血压偏高。

另外，1岁以内，同样不宜添加糖和其他调味料，早期加糖会增加出现龋齿的风险。

给 1 岁以内小婴儿的食物加盐

有些家长在喂养 1 岁以内的小婴儿时习惯加点盐,认为这样孩子更喜欢吃,还能补充钠和氯,其实这是不当的。

婴儿接受的母乳、配方粉、辅食中都含有钠和氯,只不过不是以氯化钠的形式存在,所以没有咸味。正常饮食中钠含量足够婴儿生长所需。婴儿肾功能不够成熟,钠摄入过量会引起肾脏潜移默化的改变,增加成人期高血压、心脏病等慢性疾病的发生。

另外,婴儿味觉比成人迟钝,对味道要求不高,因此辅食中,特别是肉泥、鱼泥等食物中,即使不加盐,孩子也很容易接受。家长不要依自己的味觉,决定婴儿食物味道。1 岁以内的婴儿在家养成吃盐的习惯后,就很难再给无盐食物,这个结果是家长的错误引导造成的,所以要从小让孩子养成低盐习惯。这个习惯不仅关系到孩子的健康,对成年后的饮食习惯影响也很大。

给孩子食物内加盐的合适时机是 1 岁以后,但如果 1 岁婴儿仍可接受较淡食物,没必要强行添加食盐。家长可在发现孩子对食物兴趣有所降低时再考虑添加少许食盐。很多家长会以 1 岁作为严格的分水岭,认为 1 岁后不额外加盐孩子就会低钠,这是一种误解,孩子的饮食中钠的来源很多,不存在缺钠的问题。

给孩子喝煮水果水或煮菜水

有些家长给孩子喝煮的水果水或菜水，我们可以体会到家长对孩子的一片爱心，但如果从营养角度分析，这种方式不科学。

水果和蔬菜富含维生素，煮沸过程中，大量维生素会受到破坏，大大降低了蔬菜和水果的营养价值。比如最常见的煮胡萝卜，煮过后，水溶性维生素（维生素 B 和维生素 C）几乎都被破坏，即使胡萝卜素在，没有过油的前提下也很难吸收，这种水除了色素和一些糖分外，没有什么营养。

从解渴饮料的角度来说，也不推荐给孩子喝果汁。因为无论是煮的果水、菜水还是榨的果汁，都有味道，过早饮用可改变孩子的味觉，一旦接受了这种味道，就会拒绝喝白水。习惯于喝果水、果汁的孩子出牙后，不能通过喝白水清洁口腔，对牙齿的保护不利。

此外，煮菜水还有安全问题，蔬菜表面的色素、化肥、农药会溶于水内，菜水中甚至含有重金属，这些都会危害到孩子身体的健康。

用奶、米汤、稀米粥等冲调米粉

给 4~6 个月之间的孩子初期添加营养米粉时，很多家长为了使孩子更喜欢米粉，会考虑用奶、米汤、稀米粥等冲调米粉，这样做是不妥的。原因如下：

1.奶粉冲米粉的浓度太高，这浓缩的营养物会增加婴儿的胃肠和代谢负担，导致接受不良，不利吸收。

2.若用冲调好的奶粉与冲调好的米粉混合，增加了辅食总容量和喂养时间。

3.初期米粉为辅食，逐渐会过渡到主食，味道也会逐渐接近成人食品。奶粉混入米粉，与成人食品味道差距大，不利于今后接受成人食物。

如果是为了使婴儿摄入更多奶而选择用奶冲米粉，这不是上策。家长更应该踏实地寻找奶摄入不足的原因，对症纠正。

同样不推荐用果汁冲调米粉。果汁的酸甜味不是孩子今后主食的味道，用果汁冲调的米粉喂养会使孩子对今后咸味食物的兴趣降低。

对于刚开始接受辅食的婴儿，最好先用温水调制米粉。这样利于小婴儿对米粉的接受。待孩子完全能够接受米粉后，才考虑将其他食物与米粉混合。随着婴儿对辅食的逐渐接受，家长可逐渐在米粉内混入菜泥、肉汤、肉泥、蛋黄等。

辅食添加的目的：婴儿营养+婴儿发育

把奶嘴的孔扩得粗些，给孩子喂米粉糊，孩子更容易接受，真是个好办法！

不建议用奶瓶喂辅食。奶瓶喂养是吸吮而吞咽的过程，而碗和勺喂养是通过卷舌、咀嚼然后吞咽的过程。开始添加辅食就要开始训练婴儿卷舌、咀嚼式吞咽，这样能更好地训练孩子的面部肌肉，为今后说话打好基础。碗和勺喂养更能促进孩子的行为发育。

用奶瓶给孩子喂养辅食

刚开始添加辅食，很多家长不免疑惑，应该继续用奶瓶喂养呢，还是换用碗和勺子喂孩子呢？

给孩子添加辅食，不仅为了婴儿的营养，也为了促进婴儿的发育。有的家长在喂养辅食时仍旧选择奶瓶，这是不合适的。奶瓶喂养是通过吸吮而吞咽的过程，而碗勺喂养是通过卷舌、咀嚼然后吞咽的过程。开始辅食添加，就要开始训练婴儿的卷舌、咀嚼式吞咽，不仅为了营养，而且更是为了训练面部肌肉，为今后流利说话打好基础。用碗和勺的目的不仅在于进食方便，更主要的目的是为了促进孩子的行为发育。

使用勺子或杯子进行辅食喂养行为涉及几方面的变化：婴儿口腔运动的发育、接受新的食材和新的食物味道以及婴儿与抚养者之间的全新互动。很显然，喂养食物会使婴儿躯干、肩部和颈部肌肉的稳定性和强度更好，而且使婴儿可以坐起来并控制他自己的头部位置了。这正好契合了辅食添加的目的，婴儿营养和婴儿发育。

营养学专家建议

● 通过摄入多种食物，获得均衡营养。

● 尽量避免偏食和挑食。

● 注意烹调过程中保有更多
营养素，特别是维生素。

尽可能选用奶制品保证儿童钙的需求，如果选择
鲜牛乳，应该是强化维生素D的类型。

● 如果孩子经常挑食、偏食，加之因有些传统的
烹调方式不当很容易流失营养，为了让孩子能
获得均衡的营养，可以额外补充多种维生素。

3 小儿辅食添加过程中经常出现的问题

我的奶水是透明的，3个月前孩子母乳吃得很好，3个月后给他添加了辅食，孩子就开始拒绝吃母乳。别人说我的这种奶水没有营养，建议我干脆喂奶粉，我该放弃母乳喂养吗？

孩子抗拒母乳的原因，可能是孩子接受了一种自己觉得很好的味道，比如果汁的甜味等。家长有可能过早地给孩子添加了带味液体。"厌奶"与母乳的稀稠度和营养成分肯定没有关系，不要因此而放弃母乳。

"厌奶"与母乳的稀稠度和营养成分肯定没有关系，不要因此而放弃母乳。

● 添加辅食后孩子出现"厌奶"的迹象

孩子"厌奶",多属于心理问题。

婴儿先天就喜欢甜味和咸味,排斥苦味和辣味。当孩子接受了一种自认为很好的味道,比如果汁、钙水、大人饭菜等,就会对味道平淡的配方粉甚至母乳失去兴趣。这也是我不赞成过早给孩子添加果汁、菜水、钙水等带味液体的原因。

想要纠正孩子的厌奶问题,首先要确定孩子喜欢何种味道,再用这种味道作为引子,使孩子逐渐恢复对奶的喜好。比如,喂配方粉前可在奶中兑上少许果汁,母乳喂养前在乳头涂上一些果汁,以提高孩子对进食的接受度,随后再逐渐减少,直至恢复正常。

建议家长们在给孩子添加辅食的时候,一定不要把辅食的味道弄得"特别好",以免出现厌奶的现象。

孩子的辅食还要注意提供性状合适的食物

适合孩子的食物性状

孩子没有很好咀嚼能力之前，应提供泥糊状食品。

否则孩子会直接吞食食物，不利于消化吸收。还有可能呛入气管，造成气管异物。

适合孩子的食物加工程度

不同加工方式可造成不同接受状况。如煮熟鸡蛋黄要比蒸鸡蛋羹容易吸收。

煮烂的肉泥要比搅拌机搅碎的肉泥容易吸收。

孩子大便中有较多原始食物

如果婴儿大便中可以见到原始食物的迹象，说明孩子消化功能尚未成熟，也说明给孩子提供的食物相对较粗。消化功能不仅包括胃肠功能状况，还包括咀嚼能力。如果婴儿还未萌发磨牙，即便已具有咀嚼动作，但不会有咀嚼效果。比如大便中可见颗粒状物质，说明对蔬菜消化的不好，但不要因此就停止进食蔬菜。家长可将蔬菜，特别是绿叶菜，在滚开的水中烫软，并用刀剁碎后继续给孩子喂食。

经过短期"锻炼"过程，孩子的胃肠道即可接受。婴儿胃肠道就是应该逐渐适应饮食的食物种类和性状。改变蔬菜性状继续进食几天后，情况就会逐渐好转。

家长可以通过性状较粗的食物来锻炼孩子的胃肠道功能，但锻炼期间性状较粗的食物不能成为食物的主流性状。比如米粉中可适当添加少许米粥，菜泥中可适当添加少许小块状蔬菜等。性状稍粗的食物添加过早，不太会影响吞咽，但会影响肠道对食物的吸收——就是便中可见颗粒状物质。

锻炼期间，家长要把握好度，性状较粗的食物比例过大，可能会影响孩子对营养素的吸收。

孩子6个月了，添加辅食后开始腹泻了，但是孩子现在用的奶粉品牌没有无乳糖配方的，能转其他牌子的无乳糖的奶粉吗？

腹泻期间如果转其他牌子的奶粉会不会更刺激肠胃呢？因为乳糖不耐受，腹泻期间能只吃辅食吗？

如果是母乳喂养的宝宝，可坚持母乳喂养，但不能因婴儿出现腹泻而过频地喂养母乳。

过频

配方粉喂养的宝宝腹泻时，要及时更换为无乳糖配方，不要受品牌的制约，需坚持1~2周。

无乳糖

只进食辅食不能保证腹泻期间婴儿的营养。

● 添加辅食后孩子出现腹泻

给孩子添加辅食初期可能会出现耐受不好的现象，腹泻就是其中之一。遇到不耐受现象，若不严重，可以维持已添加量继续观察 3 天。若情况趋于好转，坚持到恢复正常后再加量和新食物；如果继续加重，要暂停辅食几天再试，类似情况再次发生，更换其他辅食。

腹泻除了可能会在辅食添加之初出现，也会在任何不当进食时出现。这些不当进食包括辅食量偏多、辅食性状偏粗、喂养时间不合理等，这种情况下，家长更应关注奶摄入的问题。如果是母乳喂养，可坚持，但不能因婴儿出现腹泻而过频地母乳喂养；若为配方粉或混合喂养，果断地将配方粉换成不含乳糖的特殊配方，可持续 1~2 周；已添加辅食的婴儿出现腹泻，无需完全停掉，可保持喂食米粉和菜泥，因为如果将辅食停掉势必增加奶的摄入。

此外，天气变凉时腹泻的可能性也会增加。遇有腹泻时，家长应尽快将孩子的大便标本置于塑料盒或保鲜膜内送到医院检查，及早确定原因，寻找有效治疗方法。

添加辅食后孩子出现便秘

如果孩子大便干结、排便费力,那就是便秘了。便秘是婴幼儿较常见的问题,可以从保证肠道菌群正常和足够纤维素摄入两个方面来预防和治疗便秘。

便秘与肠道功能状况有关。肠道内的细菌,主要是双歧杆菌、乳酸杆菌,可败解食物中的纤维素,产生短链脂肪酸,同时伴有很多水分,从而导致大便变软。母乳喂养过程是营造以双歧杆菌为主的肠道菌群的最佳途径。此外,母乳中的低聚糖——可溶性纤维素,保证了婴儿肠道健康。过于干净,例如过多使用消毒剂,会减少环境中的细菌,不利于肠道菌群的建立和维护。

便秘也与纤维素的摄入有关。母乳中的低聚糖、配方粉等食物中的益生元、富含纤维素的蔬菜等都是膳食纤维的来源。给孩子添加辅食以后,如果食物加工过细、过精,好的方面是有利于营养的吸收,于生长有利;不利的方面是食物残渣少,使纤维素摄入不足,引起便秘。但也并不是说为了预防便秘,食物加工就应该粗糙,过粗易出现消化不良,导致腹泻。如果服用钙剂后出现便秘,这就说明钙质吸收不良。没有被吸收的钙,在肠道中与没有被吸收的脂肪形成"钙皂"。钙皂也是导致便秘的主要原因。钙质吸收不好,主要原因是食物中钙质已足,再服用钙剂就会导致钙皂的形成。正常喂养期间不需额外补充钙剂。

食物加工要适当。此外,注意青菜的供给,也有利于肠道健康,预防便秘。

孩子吃了煮熟的蛋黄，怎么大便又稀次数又多啊?

一定是煮熟的蛋黄较干，不易消化，我用蛋黄制成的鸡蛋羹喂孩子一定就没事了。

天啊! 怎么刚吃完不到两分钟就开始剧烈呕吐了!

吃某种食物（例如鸡蛋）后出现呕吐、急性腹泻、湿疹等情况，属于典型的急性（IgE介导）过敏。

这种情况不要考虑消化不良，应考虑与过敏有关，要及时停食，并坚持至少3个月。

● 添加辅食后孩子出现过敏

过敏是免疫系统对天然无害物质的过度反应。所以任何食物、接触物、空气内附着物都可能引起过敏。对于婴幼儿来说，食物过敏最为常见。

给孩子添加辅食后，家长首先要注意观察孩子对待食物的态度，以便能尽早发现过敏。对于一见食物就躲，或进食初期正常，很快出现抗拒的孩子，排除对某种食物的味道、性状不接受的情况，最先应该考虑的就是对食物过敏或不耐受的问题。比如，孩子一吃鸡蛋就躲，即使吃进去也会出现恶心或呕吐，就应考虑鸡蛋过敏。对于牛奶蛋白过敏的婴儿，添加辅食时要特别注意，先添加米粉、青菜，逐渐添加肉泥。

怀疑食物过敏应从停止进食可疑过敏食物做起。家长要一种一种地添加，每次添加的新食物至少坚持三天，并观察孩子对食物的接受状况。急性过敏 24 小时之内就会发生，慢性过敏会于三天内发生，所以，添加一种新食物要观察至少三天时间。通过这种方法很容易就能发现食物过敏原。婴幼儿出现食物过敏，不应依赖血液检测，而应通过食物排查。

如果已经确定孩子对某种食物过敏，应完全回避过敏食物至少 3 个月。比如鸡蛋过敏者，应停掉鸡蛋及含有鸡蛋的任何食物至少 3 个月，只有完全回避过敏食物才可从根本上停止过敏引发的症状。

家长往往担心在孩子的饮食中去除某些食物有可能会影响到其生长发育。

8个月宝宝进食婴儿营养米粉、商店购买的面包和馒头后会出现颜面红肿，而进食自家做的米粥、馒头就不会过敏，这是为什么？

孩子进食自家做的米粥、馒头不过敏，说明不是对大米和麦子过敏，应是对食物添加剂过敏。建议给孩子添加辅食时，尽可能在家自己制作。这可较清晰地了解孩子对食物接受的状况。

8个月宝宝，喂了鸡蛋、猪肉、鸡肉、鳕鱼、绿叶菜、土豆、胡萝卜、南瓜、苹果、桃、香蕉、火龙果、牛油果，至今未发现过敏现象，还需怎样尝试，才能知道孩子对何种食物过敏？

家长希望能够明确孩子对食物接受状况，以便避开孩子的致敏食物。其实，对于婴儿来说，只要能接受基本食物，如米、面、常吃的蔬菜、水果、鱼、瘦肉即可，不必过多尝试。

其实，只要合理搭配食物，营养不会出现缺失。比如当孩子不能吃鸡蛋时，给他保证奶量，在米粉、米粥或面条的基础上，添加蔬菜和肉泥，一样能够保证营养。有些家长会考虑给孩子进行抗过敏治疗，以为可逐渐除根。其实，抗过敏药物只解决过敏引起的症状，并不能去除过敏原因。此外，保证孩子出生后尽早吸吮妈妈乳房，并保证第一口奶是母乳，可以有效减少孩子未来食物过敏的可能性。

● 辅食添加不合适导致皮肤发黄

临床上经常会见到孩子辅食添加不合适，导致的皮肤发黄现象。有这种症状的孩子体检显示手脚心明显发黄，全身皮肤发黄，但白眼球不发黄，进食和生长均无异常，肝功检测结果也全部正常。

经详细询问后发现，这些孩子的辅食有一个共同点，即孩子平时的辅食中几乎每顿都有胡萝卜、南瓜或红薯，这是典型的食物色素造成的皮肤发黄，虽然无害，但比较吓人。孩子只需减少食入这类食物，沉着于皮下的色素会逐渐被代谢掉，不会遗留后遗问题。

家长大都认为胡萝卜、南瓜、橙子、木瓜是非常有营养的食物，恨不得每顿都给孩子吃，但这些食物容易造成皮肤黄染，需要控制进食频率。其实，胡萝卜、南瓜、橙子等也只是蔬菜和水果中的几种而已，建议家长给孩子选择食物时还是尽量多样化。

婴儿体重增长缓慢的 **3** 个原因

1.婴儿饮食中最为重要的营养素是宏量营养素,即蛋白质、脂肪和碳水化合物。

宏量营养素 —— 蛋白质 / 脂肪 / 碳水化合物

对生长缓慢的婴儿首先应该考虑的是他宏量营养素的摄入是否充足,也就是进食不足,包括进食量绝对不足和相对不足。

进食不足 —— 绝对不足 / 相对不足

进食量绝对不足指的是孩子进食量少,相对不足指的是食物能量密度低,如米粥稀、辅食中蔬菜比例太大或一次辅食只有鸡蛋黄或鸡蛋羹等营养不均衡情况。

绝对不足　　　　相对不足

2.消化吸收不良,如大便内很多原始食物颗粒或排便量很多。

3.慢性疾病的异常消耗。

孩子添加辅食后体重增长缓慢

婴儿体重增长缓慢一般有三个原因，宏量营养摄入不足、消化吸收不良以及慢性疾病的异常消耗。

1岁以内的婴儿应该以奶为主，保证奶量足够，满6个月婴儿开始接受辅食时，最好每天也要保证进食600ml以上奶量。给6个月以后的婴儿添加辅食，首先应该考虑碳水化合物的摄入量，包括婴儿营养米粉、稠粥或烂面条。碳水化合物是辅食中的主食，至少应该占到每次喂养量的一半，如果摄入不足就会影响体重增长。蔬菜、水果中含的能量极少，在保证碳水化合物摄入量的基础上，添加蔬菜、鸡蛋黄和肉泥。有的家长喜欢给孩子喂稀粥，稀粥所含的能量不足，每次进食如同水饱，建议家长在稠粥的基础上，混入菜泥、蛋黄、肉泥等。如果给婴儿选用米粉，也要调成稠糊状。米粥、米粉易被婴儿消化吸收，但一定要稠，如同烂饭一样，婴儿进食有限，太稀的辅食能量不足，会阻碍婴儿成长。

另外，1岁以内的婴儿没有磨牙，咀嚼效果有限，小的块状食物都是吞入胃内，消化吸收效果有限。所以，家长在给孩子添加辅食时，要根据孩子的咀嚼能力，注意食物的性状。还有的家长为了给孩子吃奶，夜里要摇醒孩子五六次，这样的喂养会影响孩子睡眠，导致消耗过多，同样会影响孩子的体重增长。

对儿童来说，不偏食、不挑食是保证营养的基础，儿童偏食可能有以下几个原因：

1. 从小把不同种类食物分开喂。不同食物味道不同。分开喂，就如同出选择题，诱导孩子选择。婴儿开始辅食时，若将米粉、粥、菜、肉泥等混合喂养，可减少挑食机会。

2. 大人本身挑食，只强调给孩子吃，不以身作则。

3. 出于营养角度，某些食物喂养过频。

4. 味道。初期的辅食应该清淡。米粉、菜泥都是清淡的食物。建议1岁之内不主动给孩子添加食盐和食糖。为了尽可能使辅食味道良好，可以将孩子能够接受的辅食混合后喂养。比如将米粉与菜泥混合。这样还可避免因多种味道食物分别刺激孩子而出现偏食或挑食现象。

● 孩子出现偏食应该如何纠正？

随着孩子的逐渐长大和辅食种类的不断增加，不同味道的食物会给婴儿带来不同感受，容易出现对某些食物的偏好。虽然不能认为这种"偏好"是坏事，可往往会影响辅食的喂养。因此，为婴儿选择食物时，在口感上家长要稍加注意，不论给宝宝添加何种食物，添加时都要考虑味道，最好是从淡口味的食物开始，逐渐过渡到口味稍重的食物。这里的重口味并不是指添加的调味品过多，而是指食物原味的口味过重，过甜、过酸等。比如给孩子添加水果时，初期最好选择不够甜和酸的水果，避免因为味道过重，出现的厌奶和厌食。同样，过咸、过苦味道都会使孩子出现偏食。

如果孩子已经形成了偏食的习惯，家长应该想办法纠正。对偏食的孩子通过感兴趣的食物作为媒介是纠正的方法之一。比如，8 个月的孩子厌辅食和厌奶（包括直接母乳喂养），每天摄入量不足，睡眠不踏实，脾气暴躁，家长观察发现孩子最喜欢吃西瓜，那么就能以水果为媒介，提高孩子对辅食和奶的兴趣。可以在辅食内或配方粉中混入一些西瓜汁，或在母乳喂养前在乳头上涂点西瓜汁，这样就能提高孩子对进食的接受度，随后再逐渐减少，直至恢复正常。

厌食的多种原因

刚开始给5个月的儿子加辅食时，他每次吃都发脾气，还轻微呕吐，为什么？

对于刚开始添加辅食时就出现的不接受现象，应该立即停掉，等待1~2周后再添加，以免从添加开始就可能出现的厌食。

有些母乳喂养的孩子对辅食不感兴趣，不能因为他不爱吃就放弃尝试，可以让妈妈之外的其他家人给孩子喂食。

如果孩子已很饿，就是不愿吃大人准备的食物，可能是对食物不耐受。

配方粉

有些孩子只有迷迷糊糊时才喝奶，很可能就是牛奶蛋白不耐受的早期表现。

口腔出现溃疡等黏膜损伤或有其他不舒服状况，都可能导致厌食。

如何预防孩子偏食、挑食？

从开始添加辅食起，家长就要随时预防孩子出现偏食、挑食、厌食的行为。要尽量杜绝以下几种行为：

1. 从小把不同种类食物分开喂。不同食物味道不同，分开喂，就如同给孩子出了选择题，诱导孩子进行选择。

2. 大人本身挑食，自己不吃的东西只强调孩子要吃，却不以身作则。

3. 从营养的角度，某些食物喂养过频。

此外，不同国家、民族、家庭都有各自的饮食文化，包括喜好的味道。孩子出生在这个环境中，就应逐渐接受家庭的食物喜好。中国家庭往往是以咸味食物为主，那么水果泥等甜味食物就可单独喂养，避免与米粉等混合，造成孩子对甜味主食的喜好。

孩子为何一见某种食物就躲？

　　对于一见某种食物就躲，或进食初期正常，但很快出现抗拒的孩子，首先应该考虑对某种食物的味道、性状不接受。经重新调整食物的味道及改变食物性状之后，仍然不能增加接受度的应考虑对食物过敏或不耐受的问题。

　　要孩子接受一种食物需要一个过程，研究表明，婴儿在反复接触水果泥与蔬菜泥之后，进食这些食物的数量在显著增加。有的家长因为孩子不愿意接受某种食物就轻易放弃了尝试，实际上，家长不应该把注意力放在孩子的面部表情上，而应该放在他吃的意愿上，不断让孩子多次尝试。

4 崔大夫门诊问答

孩子生病后不爱吃饭怎么办？

孩子生病后进食不佳是常见现象，可能与身体状况还未恢复有关，也可能与生病期间药物味道刺激有关。

现在孩子生病服用的药物多是甜味，短期多次服药，加上生病时为了让孩子多饮水，往往饮用果汁等味道较重液体。

待孩子疾病好转后，寻找原因，适当引导，比如用奶中加少许果汁等办法，就可逐渐引导孩子恢复正常饮食。

10个月的婴儿每日吃奶量仅300ml，但非常喜欢大人食物。为此，父母故意将配方奶调稠，以使孩子能喝相对多的奶。

 这样做是不妥的!

1. 奶粉调稠，不仅不利于营养素吸收，反而会因渗透压增高，损伤婴儿肠道。

2. 10个月婴儿不应进食大人的食物。大人的食物味道相对重、性状相对粗，不利于婴儿生长。

孩子每天、每餐应该吃多少辅食？

到底每次及每天应该给孩子吃多少辅食呢？这是所有家长都比较关心的问题。开始添加辅食时，要根据婴儿前几次进食的情况大概估算应该提供的辅食量。婴儿每次接受辅食的量不固定，可有20%的差异，每天的进食量也不固定。家长要认真对待每次的进食过程，最好定量喂养，但也不能绝对定量，只要孩子不吃，就应该停止喂养。

除了将孩子能接受的每餐辅食量与每天进食总量作为参考依据，还应该根据进食后的结果逐步调整喂养量，如是否干扰了奶的摄入，进食后是否出现了胃肠不适的表现，生长是否正常等。家长还应考虑每次辅食的组成，应以每次进食种类和性质来判断。还有些家长给孩子的辅食中突出菜和肉、蛋等蛋白质食物，而忽略米、面等碳水化合物的食物，多吃肉、菜不是不好，但不能挤掉米、面等食物。建议每次辅食中米、面等食物应至少占一半，菜、肉、蛋一起不可超过一半。

94

宝宝这么小，怎么会有口臭呢？

　　婴儿的口臭多是胃食道反流所致。因为进入胃内的食物会与胃酸混合并被一定程度消化，同时味道变得发臭。婴儿胃部开口处食道下端括约肌和贲门较松，当腹压增高时，已进入胃内的食物会从胃经食道返回口腔。呕吐是严重胃食道反流。常见情况是少许胃内物质反流后又被婴儿咽回胃内，但口腔内存留异味。所以有时可以观察到婴儿在无喂养状态下有吞咽动作。1岁内的婴儿常见，多属发育中现象，无需治疗。若口臭明显，应考虑胃肠道消化问题，可能与进食不当有关。

　　另外，咽喉部感染期间，也可能会产生口臭。对大些的孩子来说，龋齿时都会出现口臭。

　　闻到孩子有口臭，先找原因。

牛奶是钙质最佳来源

钙　优质蛋白质

牛奶是儿童最好的钙的来源，1ml牛奶里即含有1.2mg的钙，还含有大量优质蛋白质，能为儿童生长发育提供强大助力。

保证奶的摄入，就不缺钙

年龄	每日奶的进食量（ml）	
6个月~1岁	600~800	只要孩子能够保证奶的摄入量，就不用额外再补充钙质。
1~1.5岁	400~600	
大于1.5岁	≥500	

开始添加辅食后要不要给孩子补钙？

无论对成人（包括孕妇、产妇），还是对发育中儿童而言，钙都是一种非常重要的营养素。对钙的需求不仅要考虑摄入量，而且更重要的是吸收率。人体对所有钙剂的吸收率极低，唯有饮食中的钙最易吸收。奶制品又是所有食品中含钙最高且钙吸收率最高的食物。保证适当奶摄入，才能保证人体能获取充足的钙。

对于母乳或配方粉加辅食喂养的婴儿，由于母乳、配方粉、米粉及婴儿其他辅食中所含的钙已能够满足婴幼儿生长发育，所以不需要考虑补钙的问题。

大一些的孩子或者成年人应该选择超市里低温杀菌的巴氏鲜牛奶，即瓶装牛奶和屋顶纸盒牛奶，超市里很多利乐砖、利乐枕包装的常温奶，虽保质时间较长，但因为经过超高温消毒，营养成分的含量会有所损失。

其实，家长们关注的"缺钙"实际上指的是佝偻病，

睡觉不安

都是因为缺钙吗?

枕 秃

肋缘外翻

走路迟

出牙晚

这些都与缺钙无关!

"佝偻病"是"维生素D缺乏性佝偻病",不是"缺钙性佝偻病"。只有纯母乳喂养儿需每天补维生素D。

它的全称为"维生素 D 缺乏性佝偻病"，而不是"缺钙性佝偻病"。维生素 D 属于激素类营养素，在人体内没有直接营养的作用，但它可促进骨骼对钙质的吸收。如果人体缺乏维生素 D，从食物中吸收入血的钙进入骨骼内的量只有10%，这会导致骨骼发育不良，从而患上"软骨病"——佝偻病；而在补充维生素 D 的同时，钙的吸收率会增加到60%~75%。

所以，想要孩子更好地吸收牛奶中的钙，就一定不要忽略维生素 D。

宝宝11个月发育正常，母乳喂养+辅食，每天仍然坚持服维生素D，间断补过钙剂。为何检测出骨密度中度低下呢？难道孩子缺钙吗？需要加大补钙的剂量吗？

婴幼儿处于生长旺盛阶段，包括骨骼不断拉长。相对低下的骨密度才有可能使更多钙质不断进入骨骼，骨骼才可不断拉长。

母乳、配方粉喂养、均衡婴幼儿辅食（如婴儿营养米粉）等都可提供充足钙质。母乳喂养婴儿应补维生素D，仅补钙不能获得预想效果。

不是钙、维生素D补充越多，越利于婴儿生长发育，补充过量有可能引起婴儿便秘、肾结石，甚至颅骨间缝隙和前囟门过早闭合等。

孩子每天晒太阳，还要补充维生素 D 吗？

有的家长很重视日光浴，会根据给孩子晒日光浴时间的长短，调整口服维生素 D 的摄入量。虽然阳光会促进维生素 D 的合成，但也不要因此神话阳光的这种作用，目前还没有数据显示光照时间与维生素 D 产生之间的关系，况且还有晒伤的风险。所以选择纯母乳喂养和混合喂养的婴儿，不要因晒太阳时间的长短，口服维生素 D 的量就有所增减。

纯母乳喂养和混合喂养婴儿，会因母乳中维生素 D 含量不足而导致缺乏维生素 D，所以要从婴儿满两周～两个月开始，每天口服 200 至 400 国际单位维生素 D，何时停止，要根据喂养方式而定。如果婴儿接受纯母乳喂养已达 6 个月，即使已开始添加辅食仍需坚持维生素 D 的补充，如果添加辅食正常且母乳量充足，在孩子 1 岁至 1.5 岁即可停止补充维生素 D。对于需要添加一些配方粉的混合喂养婴儿，家长可根据配方粉罐上的成分表，按照婴儿配方

粉的食量计算一下，酌情考虑每天应补充维生素 D 的量。

如果婴儿很早开始接受的是全配方粉喂养，每天可达 700ml，就可满足每日维生素 D 的需求，不必补充了。

对于大些的孩子，普通鲜牛奶中维生素 D 的含量不足，家长应该给儿童选择强化维生素 D 的鲜牛乳或者给孩子补充维生素 D 制剂。

有的家长为了使维生素 D 的吸收效果更佳，会考虑到给孩子注射维生素 D。不推荐这种方法，以免注射过量，出现维生素 D 中毒。

婴儿是否需要补水？

婴幼儿接受的液体食物偏多，年龄越小越是以液体食物为主，比如 1 天进食 800ml 奶，其中至少有 700ml 水。在未添加辅食的阶段，母乳喂养婴儿会根据自己的状况调整进食量，所以不需常规补水；配方粉喂养儿，如果配方粉调配合理且进食正常，也不需常规补水。

家长无需把注意力放在孩子具体的喝水量上，但是可以通过观察孩子的尿量和颜色，来判断孩子是否该补水了。只要进食量正常，没有额外丢失水分，比如大汗、腹泻、呕吐等，也没有进食维生素等药物，不是晨尿，其他时段尿液淡黄或无色，就说明孩子体内水分充足，无须刻意额外补水。不论何种喂养方式，是否应给孩子喝水要依具体情况而定。

此外，是否补水也与进食量、天气、温度、疾病等有关，在气候干燥、气温高、出汗多、发热等情形下，也要注意给孩子补水。

家长要注意，生吃水果、蔬菜可能会引起口过敏症。

口过敏症为IgE介导过敏，属急性过敏，接触食物后几分钟即可出现，停止喂养后很快能消失。

症状严重时，应使用仙特明等抗过敏药物。

遇到口过敏时，应停止进食此种食物至少3~6个月。

但水果在煮熟或蒸熟后吃，却可以避免此症。家长或许会疑惑水果蒸熟了以后，维生素C会遭到破坏。实际上，给孩子提供蒸熟的水果，不是常理推荐的方式，因为蒸熟过程肯定会破坏水果中的维生素。所以只建议对生食水果出现"口过敏症"的婴儿接受蒸熟的水果。

怎样给孩子添加水果、蔬菜比较好？

家长在给孩子制作蔬菜泥时，要保证蔬菜中的营养物质尽可能不被破坏。不同种类的蔬菜制作方法有异。根茎状蔬菜，如土豆、红薯、胡萝卜，可将它们蒸熟后去皮，再制成泥糊状；绿叶菜应整颗在滚开的水里焯数秒，取出后再加工成菜泥，菜泥要剁得很碎。这样处理后，附着于菜叶上的化肥、农药等残留物可以降到最低；绿叶菜不要做得太熟，也不要剁碎后再放入开水内焯，这样做会使维生素大量流失。

菜泥处理完后，可直接加入到米粉中喂食；如果想做菜粥，可以先熬米粥，待粥要熟时再加入制好的菜泥，千万不要将菜与米一起煮熟。

家长要注意，由于胡萝卜素在油脂参与下常能很好地被人体吸收，因此给孩子做胡萝卜泥的方法与其他蔬菜泥稍有不同。可将胡萝卜切成块，用少许油爆炒几秒后再放入蒸锅内蒸熟，取出后弄成胡萝卜泥，最后加入米粉内；

叶黄素

——对认知能力、视觉发育有利

目前研究发现，母乳的初乳和成熟乳中含有一种类胡萝卜素——叶黄素。

叶黄素

叶黄素是婴儿大脑中与认知相关区域的最主要的类胡萝卜素，也是视网膜的主要色素成分。

它广泛存在于蔬菜、花卉、水果等植物中，属于天然物质，人体内无法合成，饮食获取是唯一来源。所以要坚持母乳喂养，适时添加蔬菜水果。

还可以将蒸熟的胡萝卜搅成泥，掺入少许橄榄油，喂给婴儿；孩子大一些以后，可将胡萝卜切块和肉一起炖20分钟左右。

从营养的角度出发，果泥是最好的进食水果的方式，可将苹果、香蕉等刮成泥直接喂给婴儿，这样既可保证水果中的营养，比如维生素、纤维素等，又能锻炼婴儿进食食物的能力。由于水果是甜味，不是成人食物的主要味道，希望家长们以加餐的形式喂养。一岁内，最好选择味道不太甜、酸的水果，以免干扰奶的摄入。

不建议将水果泥加入米粉等喂养婴儿，这样不会使孩子出现对主食味道的错觉，为长大后自然接受咸味主食做准备。

一般家长都知道冰箱内的食物凉，不能取出后马上给孩子食用，否则会引起胃肠不适，却不知道冰箱还是食物的再污染地。

由于很多家庭没有定期清洗冰箱内部，致使冰箱内部存留了多种细菌。当冰箱内的食物提供适当的营养时，细菌即可生长繁殖。

哈哈！这里是我们细菌的乐园！

从冰箱内取出新鲜食物，特别是水果、蔬菜后，如果忽略了再清洗，同样有可能造成细菌性肠道感染。

多少摄氏度的食物适合孩子吃？

婴儿出生后喝妈妈的乳汁，温度与母体相同，应该在36℃~37℃。也就是说，最佳喂养温度应该与正常成人体温相同。如果辅食温度相对较高，与母乳温度存在差异，将不利于婴儿维持正常胃肠功能。如果希望孩子能够接受室温奶，需要逐渐锻炼才行。

随着生长，孩子逐渐会有适宜自己的食物温度。有的家长总担心孩子吃的食物偏凉会损伤到肠胃，家长要把握一个度，偏凉指的不是绝对温度，而是与平时进食温度相对而言。若孩子出生后喝凉奶和凉水，胃肠就会适应偏凉温度；若平日进食温热食物和温水，突然进食偏凉食物就可能出现胃肠不适。每个婴儿都有各自的胃肠适应温度，这个温度来自平日生活，无需互相比较。

婴儿早期营养的目的是什么?

家长在养育孩子过程中,早期最应该做的是保证合理的营养。

早期婴儿喂养不仅应该满足婴儿早期的生长和发育,同时还应避免或降低婴儿早期胃肠、呼吸和过敏疾患的发生。

胃肠

呼吸

过敏

只有这样,早期营养才有可能为他儿童期,乃至成人期的健康打好基础。

如何喂养生长发育较快的婴儿？

由于母亲怀孕期间营养充足，现在出生时体重较大的婴儿越来越多。再加上孩子出生后能够得到足够的母乳或营养充足的配方粉，所以生长发育较快的婴儿也越来越多。这样家长们面临着一个新的问题，如何喂养生长发育较快的婴儿？一般家长都是选择母乳或价格高的进口配方粉。在孩子出生后头 4～6 个月内，这种做法非常正确。可是，一旦孩子超过 4～6 个月，一是营养需求增加，二是孩子的胃肠蠕动加快，流质的母乳或配方粉在胃肠内存留时间就会逐渐缩短，致使营养吸收率逐渐下降。这时就应该开始添加婴儿米粉等辅食。有些家长仅仅从营养角度出发，认为米粉等辅食不如母乳或配方粉好，因此，对辅食添加并不十分积极。其实，辅食不仅本身可以及时提供丰富的营养，还可增加母乳或配方粉在婴儿胃肠存留的时间，这样就能提高婴儿对母乳或配方粉的吸收率。当然，辅食添加对婴儿整个的生长发育也有相当重要的作用。

母乳喂养的时间越长越好吗？

母乳喂养的目的是婴幼儿生长健康。为此，母乳喂养期间应根据生长发育曲线密切监测婴儿生长，如果发现问题要及时进行科学调整。

调节好母乳喂养与辅食的关系，在保证孩子营养摄入充分的前提下，延长母乳喂养的时间。
我们既不能轻易放弃母乳喂养，也不能患上母乳喂养强迫症。

要记住：
喂养的目标是养育健康的婴儿，而不是追求某种固定的过程。

114

什么时候断母乳比较好?

关于断奶时机，民间有"夏天不宜断奶"一说。其实，断奶的合适时机与很多具体情况有关，月龄与季节却不是应该考虑的因素，母乳的"颜色"和"稀稠度"也不是断母乳的指标。

考虑给孩子断奶，关键要想好以下几个问题：为何断奶？如何断奶？断奶后换成何种食物及如何喂养？谁来喂养？一切心理和物质准备得当后再考虑断奶。

添加辅食后，孩子养成了正常进食的规律和习惯，就不会过度依赖母乳喂养了。如果进食丰富，即使断母乳也就不会影响到婴儿的生长；孩子正常接受辅食，母亲也会生活规律，身体健康。这样，孩子才会实现断奶的自然过渡。

挑食往往是家长"惯"出来的毛病

> 宝贝要是能吃光，妈妈奖励你吃——

1. 很多家长把不建议给孩子进食的食品作为"奖品"。

> 宝贝快吃吧，多吃点，有营养……

2. 过度强调想要推荐给孩子的食品。每次吃饭都说，经常说，造成孩子的逆反心理。

3. 全家观点不一致，主张不同。平淡对待食物，有意侧重，少用语言刺激，多用行为引导，往往效果更好。

孩子见饭就躲怎么办?

很多时候听到家长这样抱怨,本来孩子吃饭很好,不知什么原因,近来见饭就躲,即使将就地喂进嘴中,也会被吐出。孩子不爱吃自己的饭,反而对大人的食物十分感兴趣。这种情况说明孩子的味觉已经发育,给孩子做的食物的味道已不能满足孩子的需求。

处理这种问题的方法十分简单:只要在孩子的食物中添加少许调料,即可获得意想不到的效果。婴儿的味觉大多在 8 个月时开始发育,每个孩子味觉发育会有时间上的差异。只要发现近来孩子对原本喜欢的食物产生厌恶,就应考虑可能是由于味觉发育所致。这时,可以在孩子的食物中添加一点炒菜的菜汤等来改善婴儿食品的味道。当然,最好 1 岁后添加最为安全。家长要注意,单独添加一种调料(如食用盐),可导致个别营养素添加过量(如钠过多)。

孩子出牙期应该如何处理食物？

五六个月左右的婴儿，常用手抠嘴就可能与长牙有关。牙齿在牙龈内生长过程会引起牙龈不适，可引起哭闹，甚至低热。使用牙胶、磨牙棒等在一定程度上能缓解出牙过程带来的不适。有些家长担心磨牙棒被咬下一小节会噎着孩子，对于用细面粉等压制而成的磨牙棒来说，看似坚硬，但遇唾液会很快变散，所以无需担心，但用胡萝卜、黄瓜条做磨牙棒就要十分小心了。

给孩子制作辅食时，应该考虑到婴儿牙齿的发育状况，要使食物的性状与牙齿的发育相匹配。食物性状从糊泥过渡到颗粒的前提是牙齿萌出。磨牙萌出之前还不能充分咀嚼食物，在此期间给婴儿喂食小块状食物就会出现囫囵吞枣的现象。对出牙"晚"的婴儿，有些家长认为与孩子吃的食物太细有关，会考虑以提供小块状食物来促进牙齿的发育，这是不可行的，除了对牙齿发育不利，还可能会出现消化吸收不良，以至于影响生长。

对3岁以下的孩子只用言语进行教育，往往成效甚微。

家长最好用自己的行为为孩子作出榜样。为了能使孩子吃好饭，可以让孩子与大人同时间同桌进餐。大人吃饭的行为可以激发孩子的模仿天性，从而达到最佳进食效果。

3岁以上，就可以和孩子讲道理了。

孩子不懂"饿"怎么办?

人只有当自己的身体处于饥饿状态时才能有好的食欲,人体的消化器官也才处于最佳消化吸收状态,此时进食才能使人获得十分的满足,才能产生最佳的进食效果。

频繁地少量进食会使人失去饥饱的刺激。这种生理过程在孩子身上也会得到充分的反映。不知饥饱很难引起孩子的食欲及吃饭后的满足感,孩子便会对吃饭失去兴趣。

为了使孩子有饥饿感,有吃饭的兴趣,家长应定时给孩子喂饭。若孩子吃得不多,也不要着急随后补上。应等到下次喂饭时再吃。虽然这样可能使孩子一天的进食量减少,即"营养量不足",但短期训练的最终结果可以使孩子养成长久的良好的进食习惯,只有这样,孩子的生长发育才能获得坚实稳固的基础。

咱儿子出生就有8斤重，谢谢你给我生了这大胖儿子！

在孩子喂养上我不惜一切代价！我给儿子选择了上等的配方粉、钙粉和鱼肝油。

钙粉

鱼肝油

咱儿子长得真快，6个月龄体重和身高就达到相当于大多数孩子9～10个月龄的水平了。

那是咱喂得好！

随着孩子的长大，他怎么有时会无原因地哭闹，特别是夜里睡觉时，会突然哭醒。而且，这种情况越来越严重。

孩子超过6个月了，用不用添加一些米粉之类的辅食呀？

进口的配方粉中营养成分均衡，肯定优于米粉等婴儿辅食，应当是最佳选择。

给孩子补充葡萄糖酸锌制剂好吗？

孩子缺锌的表现为食欲减退、易出皮疹、情绪不稳定、味觉异常、体重减退，甚至免疫功能抑制。

锌分布于人体内所有活细胞内，它参与人体内大多数代谢活动，特别是在维持免疫功能方面有重要作用。贝壳类海鲜、深色肉（瘦牛肉、猪肉）、豆类及干果、牛奶、鸡蛋等都富含锌。食用富含锌的食品时，必须同时摄入充足的动物蛋白，例如瘦肉、鱼等。动物蛋白能提高锌在人体内的利用率。如果仅仅是服用药物性锌制剂，未能同时食入足量的动物蛋白，将不能取得很好的疗效。但是，其他微量元素的过多摄入，例如大量补钙、补铁都可影响人体对锌的吸收。同样，过多补充锌制剂，也会影响人体对其他微量元素的吸收。最好的办法是给婴儿提供营养丰富、均衡的食物。

增加动物蛋白的提供不仅可以提供充分的蛋白质，还能保证锌、铁等微量元素的提供。单独且不适当地补充某

检查 与 治疗:

从外表看，孩子十分健壮。不仅表现在身高、体重上，而且神经系统发育也未发现明显问题。一边给孩子做检查，一边与家长交谈，孩子会突然哭闹，不过也能自行缓解。

综合起来分析，孩子这种情绪不稳定的现象，加上生长过快、家长对辅食添加不及时，都说明可能存在微量元素的缺乏，特别是锌缺乏。

经过检查，孩子的血锌为57.6umol/L（正常值范围是76.5～170umol/L）。孩子的问题在于添加辅食不足，以及不适当地补充了钙剂和鱼肝油。建议添加辅食，停用钙剂和鱼肝油，适当服用葡萄糖酸锌口服液。

3天后，孩子的情绪稳定多了，夜间睡眠也有了明显的改善。

种微量元素（例如钙、锌、铁等）都将影响人体对其他微量元素的吸收和利用。

　　微量元素在人体内虽然含量很少，但所起的作用却特别重要。过多或不适当补充不仅不能促进孩子健康生长，反而会出现其他营养物质吸收受阻等问题。合理均衡的饮食是最好的营养素补充剂。若孩子出现微量元素缺乏问题时，应在医生指导下，适当补充。

有对DHA过敏的宝宝吗？我怀疑宝宝对DHA过敏，吃全水解含DHA的奶粉就发疹子，吃不含DHA的就没那么厉害。

提及DHA的问题，大家一定要清楚，DHA按照来源不同，分为鱼油来源和海藻来源。

鱼油来源　海藻来源

如果使用鱼油来源的，有可能引起过敏。

鱼油来源 → 可能引起 → 过敏

配方粉内添加的DHA仍然有着鱼油来源和海藻来源之分。如果婴儿营养品或配方奶内没有标明DHA的来源，就应该是鱼油来源的DHA。添加藻类DHA的产品大都会有标识。

有来源标识
配方粉

添加藻类DHA的

无来源标识
配方粉

鱼油来源的DHA的

DHA 摄入越多，孩子越聪明吗？

研究证实，胎儿和婴儿大脑和视网膜发育过程中需要DHA，DHA有助于胎儿和婴幼儿大脑的发育。而且对任何年龄的人群，DHA都具有抗炎作用。DHA在人体内有着如此重要的作用，但需求量很少。DHA属于长链多不饱和脂肪酸，属于脂肪，不是"特殊"营养素。如果摄入过多，人体会将其作为能量消耗掉，绝对不会出现DHA摄入越多，孩子越聪明，聪明与后天的培养教育有很大关系。

最好的DHA来源是母乳。母亲在均衡饮食同时，再进食一定数量的深海鱼或DHA补充剂，母乳中就会含有足够的DHA。2岁之内的婴幼儿，如果进食充足的母乳或含有DHA的配方粉，以及营养丰富的辅食，比如营养米粉，则不需再接受DHA或鱼油补充剂。2岁后可酌情补藻类DHA。

鱼油和藻类DHA都是DHA补充剂，给孩子补充要

α-亚麻酸和DHA
一样有助于孩子大
脑发育吗？

理论上人体能将α-亚麻酸转换成
DHA，但实际转换率极低，低于
3%~5%。所以，绝对不要轻信长
链不饱和脂肪酸、α-亚麻酸等可
以有助于大脑发育的文字游戏，只
有DHA可以。通过补充α-亚麻酸
提高人体DHA水平是天方夜谭。
过多的α-亚麻酸只能与其他脂肪
酸一样，提供一些能量。

DHA、亚油酸、α-亚
麻酸、花生四烯酸都属
于长链不饱和脂肪酸。

选择藻类 DHA。鱼油属于含 DHA 产品，而藻类属于相对纯的 DHA 产品。鱼油中含有 EPA，一种具有扩张血管、抑制凝血作用的长链多不饱和脂肪酸，对老年人非常有益，但对婴幼儿不仅不利，而且有可能造成出血等问题，所以不建议儿童接受鱼油产品。家长在购买前要仔细询问。

另外，鱼油与鱼肝油不是一回事，我们平时提及的鱼肝油指的是维生素 A+D，不是鱼油。母乳喂养婴儿应该接受的是鱼肝油，不是鱼油。这一点家长一定要注意。

孩子吞食了异物怎么办？

遇到孩子进食异物，家长的第一反应应该是用手指、勺柄、筷子等刺激孩子咽部催吐，让孩子尽可能吐出误服异物。

如果孩子是误吞了药物，特别是液体药物，一定尽快催吐，然后到医院检查，同时要带着药瓶或药盒。

若吞服的异物不是十分尖锐，孩子也无异常表现，等待孩子将异物随大便排出即可。比如小塑料叉子的尖，进入胃肠后会被胃肠液包裹，不会直接刺入胃肠壁，1～2天即可排出。

母 乳 也 能 制 酸 奶 吗 ？

 >

用母乳制酸奶应该是"笑话"了。因为母乳喂养过程是有菌喂养，比酸奶喂养更加利于婴幼儿肠道健康。

即使吸出的母乳中也含有细菌，而且还有需氧菌，放入酸奶机中24小时，一定会"发酵"出大量致病菌。

吸出的母乳应该置于冰箱内保存。

多大的婴儿才可以吃酸奶？

酸奶是鲜奶在活性益生菌，如双歧杆菌、乳酸菌的作用下，经过发酵由纯液状变成半固体状的过程。不仅性状发生改变，其中富含对人体有益的益生菌，还富含变性且易于消化的蛋白质及益生菌产生的有助于消化的酶。

常规推荐 1 岁以上的婴幼儿才能接受酸奶。其原因是 1 岁以上的婴幼儿才能接受鲜奶。常规酸奶是以鲜奶为基础制作的酸奶，但如果家庭内能够以婴幼儿配方粉制作酸奶，1 岁以内的婴幼儿可以接受。需要注意的是，即使使用婴幼儿配方粉制作酸奶，也只能作为辅食，适当使用，不能代替正常配方粉喂养。婴幼儿每天能够摄入的益生菌的量是有限的，如果摄入过多会导致腹泻。

辅食添加千万不可喧宾夺主！

做好的酸奶可以加点糖或蜂蜜给宝宝吃吗？

自制的酸奶，相对较酸，在孩子食用前，可以加些果汁或果泥。对于1岁以内的婴儿不要加糖或蜂蜜，1岁以后才可以添加。

刚从冰箱拿出来的酸奶，可以直接给宝宝吃吗？

应该给孩子进食常温下的酸奶，常温不会使益生菌变性。如果自制酸奶，应该在37℃恒温下，才能使益生菌发酵鲜牛奶。人体结肠就是益生菌栖息的场所，它的温度就是人体温度，约37℃。

给孩子添加辅食，不要撇开家庭喜好。

孩子是家庭的一员，进食习惯应与自己家庭相符。每个家庭都有自己食物喜好，比如辣、清淡等味道，面、米等食物种类。

孩子应在2~3岁接受家人的食物喜好，2~3岁前是逐渐引导阶段。若按照书本或纯西方式喂养孩子，有可能导致孩子今后对自己家庭喜好的食物味道和种类接受不良。

我还要！

图书在版编目（CIP）数据

崔玉涛图解家庭育儿. 5，小儿营养与辅食添加／崔玉涛 著. —北京：东方出版社，2013

ISBN 978 - 7 - 5060 - 6036 - 3

Ⅰ.①崔… Ⅱ.①崔… Ⅲ.①婴幼儿–哺育–图解 Ⅳ.①TS976. 31–64

中国版本图书馆 CIP 数据核字（2013）第 025100 号

崔玉涛图解家庭育儿5：小儿营养与辅食添加
（CUI YUTAO TUJIE JIATING YUER 5：XIAOER YINGYANG YU FUSHI TIANJIA）

作　　者：崔玉涛
策 划 人：刘雯娜
责任编辑：郝　苗
出　　版：东方出版社
发　　行：人民东方出版传媒有限公司
地　　址：北京市东城区东四十条 113 号
邮政编码：100007
印　　刷：鸿博昊天科技有限公司
版　　次：2013 年 5 月第 1 版
印　　次：2016 年 10 月第 31 次印刷
印　　数：610 001—660 000 册
开　　本：787 毫米×1092 毫米　1/24
印　　张：6
字　　数：118 千字
书　　号：ISBN 978 - 7 - 5060 - 6036 - 3
定　　价：32. 00 元
发行电话：(010) 85924663　85924644　85924641